roches
et minéraux

Section de nodule (septaria)

Schiste à grenat-chlorite

Cinabre

Hématite

Granite

« Rose des sables » en gypse

Calcaire Wenlockien
avec des fossiles de trilobites

Opale

roches
et minéraux

Tourmalines
taillées

par
Dr R. F. Symes

en association avec le British Museum (Natural History), Londres

Goethite

Obsidienne

Pyrite

Soufre

« Tiki » en jade

Labradorite

GALLIMARD

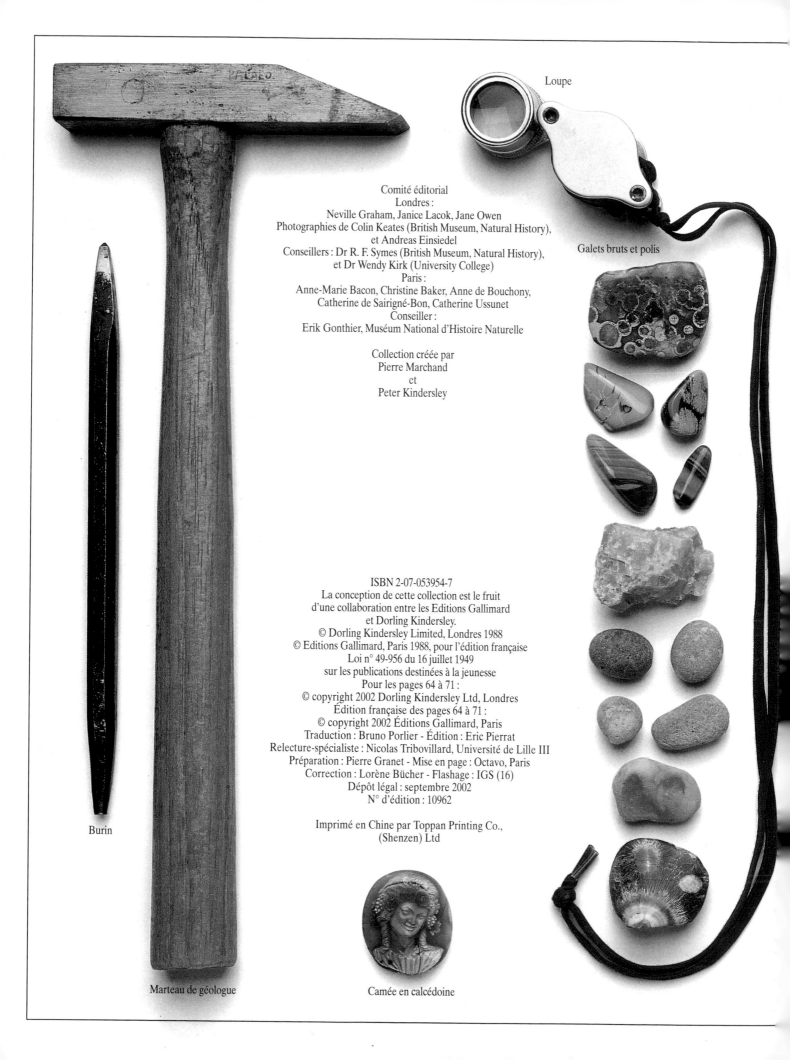

Loupe

Galets bruts et polis

Comité éditorial
Londres :
Neville Graham, Janice Lacok, Jane Owen
Photographies de Colin Keates (British Museum, Natural History),
et Andreas Einsiedel
Conseillers : Dr R. F. Symes (British Museum, Natural History),
et Dr Wendy Kirk (University College)
Paris :
Anne-Marie Bacon, Christine Baker, Anne de Bouchony,
Catherine de Sairigné-Bon, Catherine Ussunet
Conseiller :
Erik Gonthier, Muséum National d'Histoire Naturelle

Collection créée par
Pierre Marchand
et
Peter Kindersley

Burin

Marteau de géologue

Camée en calcédoine

SOMMAIRE

Citrine taillée

Topaze claire

Améthyste taillée

« Rose des sables »
en barytine

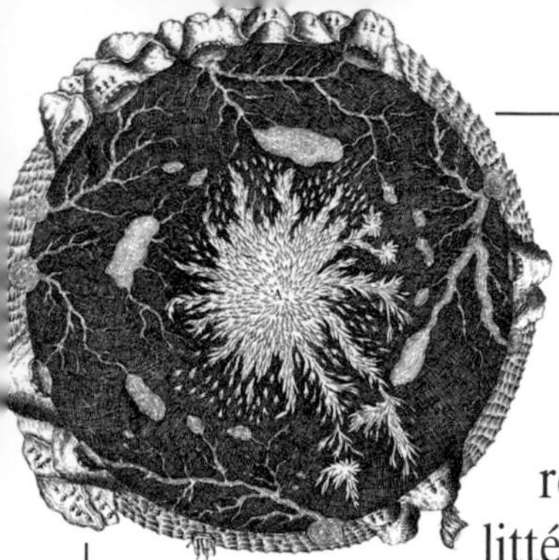

IL ÉTAIT UNE FOIS LA TERRE

Formée il y a environ 4 600 millions d'années, la Terre est une des 9 planètes tournant autour du Soleil. Son histoire relève de la géologie, qui signifie littéralement « discours au sujet de la Terre ». Les géologues recherchent les roches pour découvrir en elles les témoignages des origines de la Terre et de sa formation. Ils étudient les structures de la croûte terrestre et leur évolution. Les roches et les minéraux montrés ici proviennent de divers sites : ils présentent des caractéristiques qui seront décrites plus loin.

LES MÉTAUX PRÉCIEUX
Le platine, l'or et l'argent sont des métaux rares (à droite et pp. 58-59).

LES GALETS
Les galets littoraux naissent de la fragmentation des roches sous l'action des vagues (pp. 14-15).

Or dans une veine de quartz

LE SYSTÈME CRISTALLIN
Il définit la forme et la taille d'un cristal (ci-dessous et pp. 46-47).

LES MINERAIS
Ils servent à la fabrication industrielle de la plupart des métaux (ci-dessous et pp. 56-57).

Cubes de pyrite de fer

Cassitérite minerai d'étain (Bolivie)

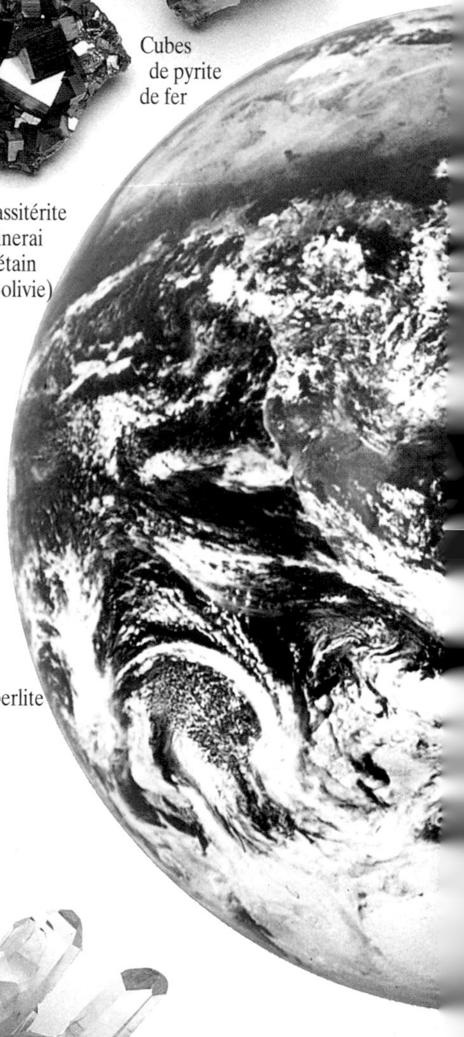

LA STRUCTURE DE LA TERRE
Le globe terrestre est structuré en trois parties : le noyau, le manteau et la croûte (ci-dessous). La croûte et la partie solide du manteau supérieur forment des plaques qui se déplacent lentement sur le manteau interne, de consistance plus visqueuse. Au fur et à mesure que l'on se rapproche du centre de la Terre, les températures et les pressions s'élèvent.

Citrine taillée, variété de quartz jaune

Diamant inclus dans de la kimberlite

La croûte (en noir) : de 6 à 70 km d'épaisseur

Le manteau solide (en jaune) : 2 900 km environ

Le noyau externe en fusion visqueuse (en orange) : 2 300 km environ

Le noyau interne très dense (en rouge) : 1 200 km de rayon

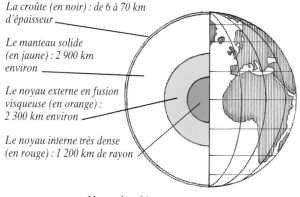

GEMMES
Certains minéraux rares, résistants et particulièrement beaux sont taillés pour être utilisés en bijouterie (ci-dessus et pp. 50-55).

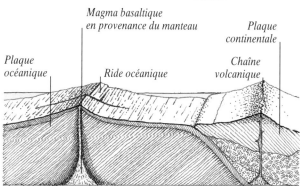

Magma basaltique en provenance du manteau

Plaque continentale

Plaque océanique

Ride océanique

Chaîne volcanique

Cristaux de quartz (France)

CRISTAUX
De nombreux minéraux se solidifient en formes géométriques régulières, les cristaux (à droite et pp. 46-47).

Calcaire coquillier

LA TECTONIQUE
La tectonique est la science de la structure de la Terre. Le long de la ligne de contact entre deux plaques (de la croûte et de la partie supérieure du manteau du globe terrestre), se forment des chaînes de montagnes, l'Himalaya, par exemple. Au fond des océans, des roches en provenance du manteau remontent entre les plaques et produisent des rides océaniques.

FOSSILES
Les fossiles sont des restes ou des empreintes pétrifiées de plantes ou d'animaux.

Galets de quartzite

ROCHES MAGMATIQUES
La plupart des roches
se sont formées
à partir du magma
de profondeur
(pp. 16-17).

Granite

Delta

Le Caire

Mer Méditerranée

Canal de Suez

Nil

LE NIL
Sur cette photo on peut
voir comment le Nil
transporte des débris
de roches depuis le centre
de l'Égypte et les dépose
à son embouchure, ce qui
provoque la formation
d'un delta et, au fond
de la mer, de nouvelles
roches sédimentaires
(à gauche et pp. 10-20).

ROCHES VOLCANIQUES
L'activité volcanique
produit différents types
de roches et des laves
(pp. 18-19).

Calcaire de
l'époque carbonifère

Collines d'Ingito sur le bord
du Rift est-africain

Lac Amboseli,
asséché (Kenya)

Chaîne de Chyulu
(Kenya)

ROCHES SÉDIMENTAIRES
Ce groupe de roches est formé
par dépôt et accumulation
de produits de l'érosion
d'autres roches
ou d'organismes
vivants (pp. 20-25).

Anthracite,
le plus dur des charbons

Mont Méru

Kilimandjaro
(Tanzanie)

Vallée de la
rivière Pangani

Glaciers
de Kibo

CHARBON
Le charbon est une roche sédimentaire
résultant de la transformation chimique
de plantes (pp. 36-37).

LE KILIMANDJARO
Le satellite Landsat a permis de photographier cette zone du Kilimandjaro
où les paysages sont constitués de roches différentes : par exemple, les roches
volcaniques (p. 18) et les évaporites (p. 21) dans les lacs asséchés. Comme
leur nom l'indique, ces dernières sont formées par évaporation d'eaux salées.

UNE HISTOIRE DE PHYSIQUE, DE CHIMIE ET DE GÉOMÉTRIE

L'assemblage ou la combinaison d'un ou de plusieurs minéraux donne les roches. Certaines, comme les quartzites (quartz massif) et les marbres (calcite), sont formées d'une seule variété minérale. Les minéraux se définissent comme des corps solides naturels inorganiques ayant une composition chimique propre et une disposition des atomes strictement ordonnée. Voici deux roches connues, le granite et le basalte, avec les principaux minéraux qui les constituent. Ces minéraux se subdivisent eux-mêmes en différents groupes que nous examinerons plus loin (pp. 42-43).

JAMES HUTTON
(1726-1797)
Un des fondateurs
de la géologie moderne

GRANITE
Une roche renferme toujours différents minéraux dont la taille et la texture varient selon son mode de formation. Pour le granite, roche magmatique à grains grossiers, les trois minéraux les plus abondants sont visibles à l'œil nu (ci-contre). Il s'agit du quartz, zones grises, du feldspath, rose et blanc, et du mica, noir (ci-dessous).

Quartz

Mica

Feldspath

Face striée

QUARTZ
Ces cristaux de quartz présentent de belles faces d'un blanc laiteux qui peuvent être striées.

MICA
Les cristaux de biotite noire, variété de mica, sont assemblés en feuillets.

FELDSPATH
Les critaux d'orthose (feldspath) sont blanc laiteux ou rose pâle.

BASALTE
Le basalte est constitué de trois minéraux principaux : l'olivine, le pyroxène et le feldspath plagioclase. Cependant, du fait de sa structure granulaire fine, il n'est pas toujours possible de les distinguer à l'œil nu. Ce basalte à olivine (ci-contre et ci-dessous) provient du cratère du volcan Kilauea aux îles Hawaii.

OLIVINE
Relativement rare sous cette forme de cristaux verts et transparents, elle est appelée péridot (p. 54).

FELDSPATH
PLAGIOCLASE
Ce feldspath à cristaux tabulaires aux couleurs éblouissantes a été trouvé au Labrador, en Amérique du Nord.

Surface de la roche irisée, bleu et orangé

Cristal d'augite

PYROXÈNE
Cet unique cristal noir d'augite (une variété de pyroxène) vient d'Italie. On trouve des cristaux d'augite dans diverses roches éruptives.

Matrice de la roche

8

RICHESSE DES FORMES

Roches et minéraux se présentent sous des formes diverses. Les premières ne sont pas nécessairement compactes et solides : c'est le cas du sable et de l'argile. Un même minéral peut mesurer de un millimètre pour les roches volcaniques à grains fins à plusieurs mètres pour les pegmatites (granite), par exemple.

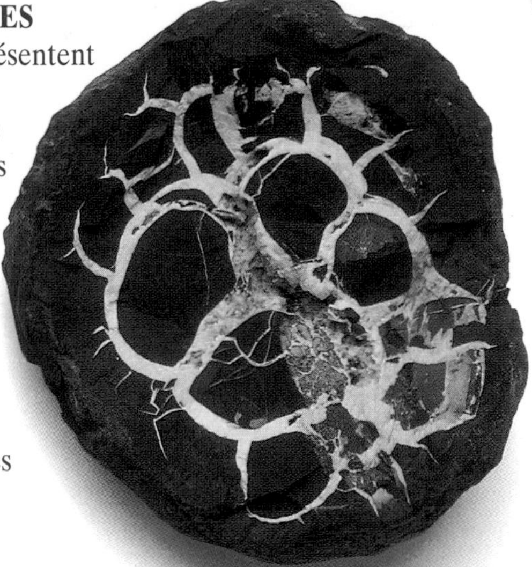

ROCHES FORMÉES AUX DÉPENS D'AUTRES ROCHES

Cette variété de roche sédimentaire (ci-dessus) est une septaria : un nodule argileux fissuré qui, sous l'influence des eaux d'infiltration, a recristallisé intérieurement. Ici, les veines sont constituées de calcite.

ROCHES FORMÉES PAR ÉVAPORATION

Les eaux d'infiltration sont chargées de substances dissoutes. En ruisselant et en s'évaporant, elles déposent de fines particules minérales qui cristallisent et forment des stalactites (p. 22). Cette spectaculaire stalactite bleu-vert trouvée dans une mine est composée de chalcanthite (sulfate de cuivre) formée par l'infiltration d'une eau riche en cuivre.

Partie supérieure d'une mine colorée par des oxydes de cuivre : la chalcanthite

CRISTAUX FORMÉS DANS DES MINERAIS

Cristaux tabulaires rouges orangé de wulfénite, minéral d'Arizona, aux États-Unis, formés dans des veines de plomb et de molybdène.

Éruption de la montagne Pelée, à la Martinique, le 5 août 1851

ROCHES PROVENANT D'ÉRUPTIONS VOLCANIQUES

En dépit des apparences, les « cheveux de Pelée » (du nom de la déesse) sont bien une roche. Il s'agit d'un verre basaltique étiré en fibres dorées et brunes renfermant, ici et là, quelques cristaux d'olivine. Cette roche s'est solidifiée après l'émission d'un magma basaltique.

Bande claire de pyroxène et de feldspath plagioclase

Couche sombre de chromite

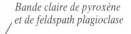

ROCHES STRATIFIÉES

La norite (ci-dessus) est une roche éruptive composée de minéraux comme le pyroxène, le feldspath plagioclase et la chromite (riche en chrome). Dans ce spécimen d'Afrique du Sud, des minéraux sombres alternent avec des minéraux clairs, formant une roche stratifiée. Les couches de chromite (sombres) contiennent beaucoup de chrome (p. 56).

UNE ÉVOLUTION CONSTANTE : LA FORMATION DES ROCHES

Les mécanismes géologiques évoluent par cycles constants : ils redistribuent les éléments chimiques, les minéraux et les roches à l'intérieur et à la surface du globe. Les processus qui agissent en profondeur, tels le métamorphisme et la formation des montagnes, sont provoqués par la chaleur interne de la Terre. Les événements de surface, comme l'altération des roches, sont activés par l'énergie solaire.

Sable de quartz pur résultant de l'érosion de granites ou de grès (à droite)

Andésie provenant d'une éruption volcanique aux îles Salomon, océan Pacifique

L'ACTIVITÉ VOLCANIQUE

Les roches de la croûte et du manteau supérieur fondent et forment un magma qui peut jaillir en surface : c'est l'activité volcanique. Les roches qui résultent de ce phénomène sont les roches éruptives (p. 16), tel le basalte, l'exemple le plus connu.

Fragment d'une coulée de lave basaltique à Hawaii

CULOT VOLCANIQUE

Témoin du volcanisme, le rocher Saint-Michel-d'Aiguilhe, au Puy-en-Velay (Haute-Loire), est un culot volcanique (restes du centre d'un ancien volcan).

LE CYCLE DES ROCHES

Activité volcanique — Erosion

Surface

Roches magmatiques

Magma

Fusion

INSELBERG ÉRUPTIF

Ces buttes se dressent au-dessus des plaines d'érosion. Le « Pain de Sucre », au Brésil, est constitué par des roches magmatiques intrusives. Elles ont affleuré à la surface lorsque les roches qui les couvraient se sont trouvées complètement désagrégées par l'érosion.

Granite à grands cristaux de feldspath rose du nord de l'Angleterre (à gauche)

Migmatite de Finlande

Gabbro à grain grossiers de Finlande. Cette roche grenue est l'équivalent du basalte.

LA FUSION

Sous l'influence de fortes températures et de hautes pressions, certaines roches fondent partiellement. Si des déformations suivent, il peut y avoir alors formation de veines ondulées comme des serpents (à droite). Les migmatites sont des roches hétérogènes composées d'une matrice métamorphique (gneiss ou schiste) parcourue de veines de granite. Elles témoignent du passage d'un état métamorphique à un état de fusion.

ROCHES ISSUES DES MAGMAS

Les roches magmatiques sont des roches de profondeur qui se forment à partir des magmas en fusion (p. 16). Elles sont également connues sous le terme de roches plutoniques, en référence à Pluton, le dieu grec des Enfers. Certaines, comme le granite, constituent d'énormes blocs, des batholithes, dans les chaînes de montagnes.

L'ÉROSION DES ROCHES DUE AU CLIMAT

Les conditions climatiques provoquent des bouleversements chimiques et physiques qui fragmentent les roches et forment des sédiments (p. 13). Exemples : la désagrégation des roches contenant du quartz donne le grain de sable ; l'érosion des roches riches en feldspath donne les argiles.

Les argiles de décomposition constituent une partie importante des sols (ci-dessus).

LE TRANSPORT PAR LES RIVIÈRES

Vue aérienne du Mississippi qui déplace à lui seul plusieurs milliers de tonnes de débris par jour jusqu'à son delta.

Transport

Dépôt

Chaleur et pression

Roches sédimentaires

Roches métamorphiques

Granite (rosé)

Gneiss (en noir)

LE DÉPÔT DES SÉDIMENTS

Les sédiments sont transportés par les rivières ou par le vent, dans des régions désertiques. Si la vitesse de transport diminue, dans le cas d'une rivière venant se jeter dans un lac par exemple, les sédiments se déposent par couches de particules de taille et de densité différentes.

Ces couches, en devenant compactes, forment les roches sédimentaires (p. 20).

Grès stratifiés en Arkansas, États-Unis

Roche argileuse zonée, en Ouganda

Grès désertique vieux de 200 millions d'années, Ecosse

ROCHES MÉTAMORPHIQUES

Des veines de quartz parcourent ces schistes d'Ecosse (à gauche). Cette région est particulièrement riche en roches métamorphiques.

Quartzite ou grès métamorphisé formé par la pression et la chaleur au-dessous de la surface terrestre (ci-dessus)

Le micaschiste dérive d'une roche argileuse métamorphisée

GNEISS

Cette roche métamorphique est zonée : les différents types de cristaux qui la forment sont déposés en lits parallèles.

LE MÉTAMORPHISME

Plus une roche est enfoncée sous la croûte terrestre, plus sa température est élevée et plus la pression qui s'exerce sur elle par les roches placées au-dessus est forte. Pression et température provoquent des réactions chimiques sur les minéraux qui recristallisent. Les nouvelles roches ainsi créées sont appelées roches métamorphiques (à gauche et ci-dessus).

11

L'ÉROSION À QUI RIEN NE RÉSISTE

Toutes les roches se désagrègent à la surface de la Terre.
Lorsque les roches se désagrègent sans mouvement, cela s'appelle
l'altération. L'altération est soit chimique soit mécanique. Si les roches
se désagrègent dans un mouvement ou à cause du mouvement d'un
medium comme une rivière ou un glacier, on parle alors d'érosion.

ÉROSION
Le vent attaque les roches
à la fois par sa propre force
et par le sable qu'il transporte.

ÉROSION ÉOLIENNE
Ces buttes-témoins de Monument Valley en
Arizona, aux Etats-Unis, ont été dégagées
par l'érosion éolienne.

USURE MÉCANIQUE
L'usure mécanique par le vent attaque
d'abord les parties les plus tendres d'une
roche, comme sur cette pierre du désert
de Somalie.

DÉSAGRÉGATION PAR DILATATION ET CONTRACTION
Les variations de température peuvent faire éclater une roche ;
le gel entraîne une augmentation du volume de l'eau contenue
dans une roche.

Grès composé de sables accumulés
il y a 200 millions d'années dans
un climat désertique (ci-dessus)

Sable d'un
désert actuel

ÉROSION DÉSERTIQUE
Les roches formées dans des conditions de climat désertique,
où le vent est le principal agent de transport, sont souvent
rougeâtres et constituées de grains de sable arrondis (ci-dessus).

DESQUAMATION
Un autre type d'érosion due aux variations
de température : les couches superficielles
de la roche se dilatent, se contractent
et finalement se détachent.

Dolérite à grain fin

Dolérite désagrégé
(ci-dessous)

*Pellicules
se détachant
sous l'effet
des variations
de température*

ABRASION
L'action abrasive du sable projeté
sans cesse par le vent façonne
des cailloux à facettes vives.

DÉSERT
Paysage désertique, résultat de l'érosion continuelle des vents
et des variations de température. Ici, le désert du Sahara.

ÉROSION CHIMIQUE

Seuls quelques minéraux résistent aux altérations provoquées par l'eau de pluie acide. Ceux qui ont été dissous en surface peuvent être entraînés dans le sol et les roches sous-jacentes où ils se redéposent.

Granite non altéré

Granite décomposé

Chapeau de fer altéré par les eaux d'infiltration

MINÉRAUX ÉRODÉS

Le granite se fend sous l'effet du gel. Ses constituants minéraux altérés chimiquement se retrouvent en fragments rocheux irréguliers (ci-dessus à droite).

Minéraux secondaires (à gauche et ci-dessous)

BUTTE-TÉMOIN

Il s'agit de blocs aux arêtes émoussées, constitués de roches résiduelles qui subsistent après le déblaiement des roches érodées qui les enveloppaient. Ici, blocs granitiques de Dartmoor, en Angleterre.

MODIFICATIONS CHIMIQUES

L'altération chimique d'un filon de minerai peut entraîner une modification des minéraux avoisinants. Certains sont ainsi colorés par des dépôts de minéraux dissous dans les couches supérieures. On parle alors de dépôts secondaires.

ÉROSION TROPICALE

Sous certains climats tropicaux, le quartz est dissous et transporté, tandis que les feldspaths se décomposent en roches argileuses qui peuvent former en surface d'importants gisements de bauxite (p. 56).

ÉROSION GLACIAIRE

La masse des glaciers en mouvement érode les roches par frottement. Ce phénomène de dégradation est amplifié par les blocs rocheux emprisonnés à la base du glacier.

Stries creusées par un glacier

Gros débris rocheux

ÉROSION CHIMIQUE

La pollution atmosphérique provoque aussi une érosion chimique de la pierre, comme on peut l'observer sur le Parthénon, à Athènes, en Grèce.

ROCHE STRIÉE

Les débris rocheux enchâssés dans la glace ont agi comme des burins et creusé de véritables rainures sur ce calcaire de Grindelwald, en Suisse.

GLACIERS

Ici, le glacier du Morteratsch, en Suisse. Les glaciers sont les principaux agents d'érosion des zones montagneuses.

DÉPÔTS GLACIAIRES

Les glaciers laissent des dépôts appelés moraines qui se composent de débris rocheux de dimensions variables, du grain microscopique au gros galet. Parfois, une roche dure a pu se constituer par consolidation d'anciennes moraines. Cet échantillon (ci-dessus à gauche) provient de la Flinders Range, en Australie du Sud, région qui était recouverte par les glaciers il y a 600 millions d'années.

UN OBSERVATOIRE GÉOLOGIQUE PRIVILÉGIÉ : LE RIVAGE

Les phénomènes géologiques sont facilement observables sur les bords de mer. En particulier ceux bordés de falaises au pied desquelles tombent des matériaux grossiers qui sont fragmentés par le flux et le reflux des vagues, formant à la longue galets, graviers, sables et boues. Tous ces sédiments deviennent à leur tour la matière première d'où naîtront de futures roches sédimentaires compactes (p. 20).

Galets sur la plage de Chesil, en Angleterre

GRANULOMÉTRIE
L'action des vagues et des courants refaçonne les galets. Les minéraux sont séparés et sélectionnés par densité (ci-contre de gauche à droite). Ils se regroupent par endroits pour former le sable des plages, comme ces sables blancs riches en quartz.

Galets grossiers

RICOCHETS
Tous les écoliers le savent, les meilleurs cailloux pour faire des ricochets à la surface de l'eau sont les cailloux plats et ronds. Ils proviennent le plus souvent de roches sédimentaires ou métamorphiques qui se délitent en lames plates et peu épaisses.

Micaschiste

Nodule de pyrite sédimentaire de forme irrégulière

Ardoise

GÉOLOGIE LOCALE
Ces galets caractérisent la géologie locale, parce que issus de roches provenant de falaises qui dominent la plage où ils ont été ramassés. Ici, ce sont des roches métamorphiques débitées en disques plats.

CRISTAUX CACHÉS
Les nodules de marcassite sont courants dans les zones crayeuses (sulfure naturel de fer de couleur jaune utilisé dans la bijouterie de fantaisie). Ils peuvent développer des formes particulières. On découvre des cristaux fibro-radiés, une fois la couche externe brisée.

COQUILLAGES TRANSFORMÉS EN GALETS
Les coquilles marines vides sont usées par la continuelle action des vagues. Les arêtes tranchantes sont cassées, elles s'émoussent et se transforment en petits galets. Ceux-ci ont été trouvés sur une plage de Nouvelle-Zélande.

GALETS D'AMBRE
L'ambre est une résine fossile de conifères qui poussaient il y a des millions d'années. Ces galets sont surtout nombreux sur les côtes de la Baltique, en URSS et en Pologne.

RIDES DE SABLE
Ces empreintes laissées par les vagues (en anglais « ripple marks ») ainsi que d'autres structures formées sous la mer par du sable transporté par les courants peuvent être observées, à marée basse, sur de nombreuses plages. Dans ce spécimen fossile (à droite), les ondulations du sable ont été préservées dans un grès. Les processus de sédimentation actuels sont semblables aux événements géologiques du passé (p. 20).

SABLES NOIRS
Dans les zones d'activité volcanique, le sable est riche en minéraux sombres et, la plupart du temps, les grains de quartz en sont absents.

Sable à olivine sombre de Raazay, en Ecosse

Sable riche en magnétite de Ténériffe, aux îles Canaries

Plage de cendres volcaniques noires sur la côte nord de Santorin, en Grèce

Galets de taille moyenne

Galets petits et fins

Galets très fins

Grains de quartz

FALAISES CALCAIRES
Les rognons de silex très durs résistent à l'érosion et s'amassent sur les plages au pied de falaises escarpées comme celles de craie blanche à Douvres, en Angleterre (à droite).

Les falaises de craie produisent souvent des rognons de silex et de la marcassite.

Extérieur d'un nodule de marcassite

Intérieur de marcassite aux cristaux étincelants et rayonnants

Rognons

GALETS GRANITIQUES
Dans les régions granitiques, les galets du littoral sont souvent constitués de quartz qui forme des veines abondantes, ou encore de granite gris ou rose.

MATÉRIAUX DÉPLACÉS
Les roches littorales peuvent avoir été apportées de très loin. Durant la dernière glaciation, cette roche magmatique porphyrique (à gauche) a été probablement transportée de Norvège en Angleterre à travers ce qui est actuellement la mer du Nord.

Echantillons de galets de verre

Galet de brique

GALETS DIVERS
Outre les roches et les minéraux, des objets fabriqués par l'homme peuvent aussi être soumis à l'érosion maritime comme les déchets rejetés par les navires ou les produits déversés sur les plages. Usés, érodés, ils s'arrondissement sous l'action des vagues.

Des brises-lames artificiels arrêtent les amoncellements de galets et de sable pour protéger les plages.

Orgue basaltique, île Sainte-Hélène

FILLES DU FEU : LES ROCHES IGNÉES

Les couches profondes de la croûte terrestre constituent un magma en fusion qui, en se refroidissant, se solidifie pour former des roches. Il existe deux types de magma : les magmas intrusifs dont les roches se solidifient au sein de la croûte terrestre et apparaissent uniquement en surface après l'érosion des roches sus-jacentes, et les magmas extrusifs, provenant de la solidification de la lave à la surface de la Terre.

ORGUES DE BASALTE
Lorsque les laves basaltiques deviennent compactes, elles forment des séries de prismes hexagonaux, comme en témoigne la Chaussée des Géants en Irlande du Nord.

Granite à biotite

Granite

Granite rose

Cristaux de biotite. Il s'agit d'une variété de mica. Comme lui, ils sont noirs (p. 42).

Cristaux de quartz. Longs et angulaires, ils font penser à des inscriptions sur le fond plus clair des cristaux roses de feldspath.

La couleur s'explique par la forte proportion de feldspath potassique.

GRANITE
La plus commune des roches intrusives (celles qui se solidifient au sein de la croûte terrestre) et la plus universellement répandue. Le granite est constitué principalement de grains irréguliers de différents minéraux : quartz, feldspath et mica (p. 8). La taille importante de chaque minéral est due au refroidissement lent du magma, en profondeur. Généralement, la couleur des granites varie du gris au rouge selon la proportion des différents constituants minéraux. Le granite à biotite, présenté ici, provient de Hay Tor, un affleurement au plus haut sommet du Dartmoor dans le sud-ouest de l'Angleterre.

RÉTINITE (OU OBSIDIENNE HYDRATÉE)
Roche obtenue au cours d'un refroidissement rapide de la lave volcanique ; elle renferme des cristaux de feldspath et de quartz. Elle a l'apparence trouble de la résine et peut être de couleur brune, noire ou grise.

OBSIDIENNE
Comme la rétinite, l'obsidienne possède une structure vitreuse due à une solidification si rapide que les cristaux n'ont même pas le temps de cristalliser. Le bord tranchant est caractéristique de cette pierre qui était utilisée pour fabriquer des outils (p. 31). Ici, obsidienne d'Islande.

Olivine (verte)

Pyroxène (sombre)

Feldspath plagioclase (clair)

GABBRO
Cette roche intrusive est formée de minéraux sombres tels que l'olivine (couleur vert olive) et l'augite. Sa structure granulaire à grands cristaux est due à un refroidissement lent du magma. Ici, gabbro de l'île de Skye, en Ecosse.

Phénocristaux de feldspath

PORPHYRES À FELDSPATH
Les porphyres comportent de gros cristaux (phénocristaux) inclus dans une roche à grains moyens. Ici, porphyre à cristaux de feldspath, du Pays de Galles.

LAME MINCE DE GABBRO
Sur cette coupe de gabbro observée au microscope, apparaissent des caractères cachés comme les formes d'un cristal (p. 42). Des grains fortement colorés sont des minéraux ferromagnésiens d'olivine et de pyroxène. Le minéral gris est un feldspath plagioclase ou calcosodique (c'est-à-dire contenant du calcium et du sodium).

Basalte vacuolaire

Vacuole vide

Basalte amygdaloïde

BASALTE
Cette lave solidifiée (ci-dessus) est la plus commune des roches extrusives. Sa composition est semblable à celle du gabbro (en haut à droite) mais ses grains sont plus fins. Quand la lave se refroidit, elle peut se débiter en colonnes dont les structures spectaculaires les plus célèbres sont les orgues cristallines de basalte de l'île Sainte-Hélène et de la Chaussée des Géants en Irlande.

Vacuole remplie de calcite

ROCHES VOLCANIQUES VACUOLAIRES
Ces deux roches (ci-dessus) sont des laves basaltiques où des bulles de gaz ont été enfermées quand la matière était encore brûlante. Le basalte vacuolaire est léger et criblé de trous, ou vacuoles. Dans cette roche amygdaloïde, les vacuoles ont été remplies ensuite par des minéraux comme la calcite. Ces laves proviennent de Hawaii, zone de grande activité volcanique.

Cristaux d'olivine (verts)

Cristaux de pyroxène (sombres)

Veine de calcite

SERPENTINE
Rouge et verte, cette roche est parcourue de veines de calcite blanche. On trouve de la serpentine fréquemment dans les Alpes.

PÉRIDOTITE
Cette roche sombre où le pyroxène et l'olivine dominent se situe sous les couches de gabbro (en haut, à droite), à 10 km sous le plancher océanique. Cette péridotite a été trouvée dans l'Odenwald, en Allemagne de l'Ouest.

ENTRAILLES DE LA TERRE : LES ROCHES VOLCANIQUES

L'activité volcanique engendre deux groupes de roches : les roches pyroclastiques (fraturées par le feu) d'une part et les laves acides et basiques d'autre part. Les pyroclastiques, comme leur nom l'indique, proviennent de fragments solides de roches ou de bombes volcaniques expulsées hors du cratère au cours d'une éruption. Ces bombes se solidifient dès leur entrée dans l'atmosphère. Les laves, quant à elles, s'écoulent différemment selon qu'elles sont acides ou basiques. Les premières, épaisses et visqueuses, se déplacent très lentement et donnent des volcans étalés. Les secondes ont un écoulement si rapide qu'elles se répandent sur de vastes étendues.

Eruption de lave et de bombes à Eldfell, en Islande, en 1973

ROCHES PYROCLASTIQUES

Pyroclastique signifie « fracturé par le feu ». Cette expression est parfaite pour désigner ces roches et fragments de lave, expulsés et brisés par la force des gaz.

Roches agglomérées à proximité de la cheminée

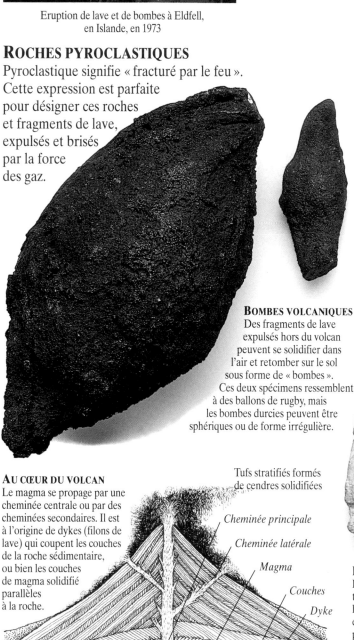

BOMBES VOLCANIQUES
Des fragments de lave expulsés hors du volcan peuvent se solidifier dans l'air et retomber sur le sol sous forme de « bombes ». Ces deux spécimens ressemblent à des ballons de rugby, mais les bombes durcies peuvent être sphériques ou de forme irrégulière.

Brèche d'intrusion formée à l'intérieur d'une cheminée

FRAGMENTS ÉPARPILLÉS
La force de l'explosion est telle qu'elle peut provoquer la fragmentation des roches, sous forme de mélanges d'éléments anguleux, qui encombrent souvent la cheminée centrale ou les cheminées latérales. Ces fragments forment des roches dites agglomérées.

Cendres

Tufs stratifiés formés de cendres solidifiées

AU CŒUR DU VOLCAN
Le magma se propage par une cheminée centrale ou par des cheminées secondaires. Il est à l'origine de dykes (filons de lave) qui coupent les couches de la roche sédimentaire, ou bien les couches de magma solidifié parallèles à la roche.

Cheminée principale

Cheminée latérale

Magma

Couches

Dyke

PARTICULES TRANSPORTÉES PAR LE VENT
De très fines cendres volcaniques peuvent être transportées sur des milliers de kilomètres dans l'atmosphère. A l'endroit où elles se déposent et durcissent, les cendres forment des tufs (roches poreuses légères constituées de cendres volcaniques cimentées). Cette nuée de cendres a jailli du mont Saint Helens, au nord-ouest des Etats-Unis, en 1980. Les cendres ont été transportés à plus de 5 km du cratère, tandis que des particules plus fines portées par le vent sont retombées à plus de 27 km.

Eruption du mont Saint Helens, en 1980

LAVES ACIDES

Les laves acides sont visqueuses. Elles peuvent se solidifier dans la cheminée volcanique, enfermant de ce fait les gaz. Si la pression augmente, leur explosion donne naissance à des roches pyroclastiques.

ÉRUPTION DU VÉSUVE
La célèbre éruption de l'an 79 apr. J.-C. avait provoqué une « nuée ardente » de magma et de cendres qui ensevelit Pompéi.

VERRE NATUREL
Bien que chimiquement semblable à la pierre ponce, l'obsidienne (p. 16) a une texture vitreuse (ci-dessus). Grâce à ses arêtes tranchantes, les hommes primitifs l'ont utilisée comme outil, pointe de flèche et bijou (p. 29).

ROCHES FLOTTANTES
La pierre ponce est l'« écume » de la lave qui se solidifie. Cette roche, criblée de trous par les bulles de gaz qu'elle contenait, a l'aspect d'une éponge. La pierre ponce est une roche qui flotte comme, ici, cet échantillon des îles Lipari, en Italie.

LAVES VISQUEUSES
Cette roche grenue, de couleur claire (à gauche), est appelée rhyolite. Des stries se forment lorsque la lave, gluante et visqueuse, s'écoule sur une courte distance.

LAVES BASIQUES

Très liquides, les laves basiques s'étalent si rapidement qu'elles couvrent uniformément de vastes surfaces en couches minces. La cheminée n'est donc pas obstruée et les gaz s'échappent. Il y a abondance de laves mais peu de roches pyroclastiques (bombes volcaniques) se forment, contrairement à ce qui se passe avec les laves acides.

Aphthitalite (ci-dessus)

ROCHES MODIFIÉES PAR LE GAZ
Les volcans inactifs sont dits « éteints ». Néanmoins, des gaz peuvent s'en échapper et des sources thermales s'y former. Des roches multicolores (ci-dessus) sont apparues de cette façon autour du Vésuve.

Akrotiri, ville minoénne, fut brûlée par les cendres volcaniques, en 1450 av. J.-C.

LAVES CORDÉES
Des roches comme celles-ci naissent lorsque la lave se répand : la surface se refroidit, formant une sorte de peau ridée, puisque le centre encore fluide continue à s'écouler.

LAVES FLUIDES
Les laves basaltiques peuvent s'étaler et couvrir de vastes zones. Ce basalte (ci-dessus et p. 17) a été déposé par le volcan Hualalai, un des nombreux volcans de Hawaii.

BASALTE MULTICOLORE
Les points étincelants, dans ce basalte, sont de l'olivine verte et des cristaux noirs de pyroxène.

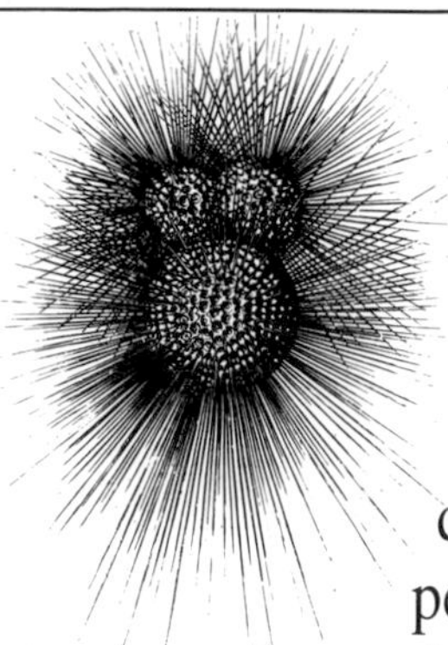

LES ROCHES SÉDIMENTAIRES

Quand les roches sont désagrégées et érodées, elles se décomposent en petits morceaux de roches et de minéraux (p. 12). Ces types de matériaux, appelés sédiments, peuvent éventuellemnt être transportés vers la mer ou rester dans les lits des rivières. Les sédiments se déposent par couches qui deviennent compactes. Avec le temps, les particules s'assemblent pour former de véritables roches, connues sous le nom de roches sédimentaires.

LAME MINCE DE CALCAIRE
Le micoscope (p. 42) révèle le détail du calcaire à ammonites (du latin « corne d'Amon », qui était le fils de Loth, lui-même neveu d'Abraham). La coquille d'ammonite (p. 38) ressort clairement sur la gangue qui l'entoure. Les ammonites sont des fossiles caractéristiques de l'ère secondaire. La roche photographiée a environ 160 millions d'années.

Coquille d'ammonite

Gangue

FORAMINIFÈRES
Ces organismes marins (ci-dessus) sécrètent de la calcite. Bien que rarement plus gros qu'une tête d'épingle, ils jouent un rôle très important dans la formation d'une roche. Quand ils meurent, les coquilles tombent au fond de l'océan et leur accumulation forme du calcaire.

Restes de coquilles prises dans la roche

Craie

Calcaire oolithique

Calcaire coquillier

Calcaire à gastéropodes

Traces de gastéropodes

Oolithes (corps sphériques d'environ 1 mm)

SILEX
Les rognons de silex, de la silice (ci-dessus et p. 42), sont souvent présents dans les calcaires, et surtout dans la craie. Ils sont gris ou noirs, mais l'extérieur peut être recouvert d'un matériau blanc poudreux. Tout comme l'obsidienne (p. 16), le silex en se brisant présente une cassure dite conchoïdale (p. 48).

CALCAIRES
De nombreuses roches sédimentaires sont composées de restes d'organismes fossiles (ci-dessus). Dans le cas des calcaires coquilliers ou à gastéropodes, ces restes d'animaux sont bien visibles dans la roche. Dans la craie, les squelettes de minuscules animaux marins qui la forment sont trop petits pour être visibles à l'œil nu. Une autre variété, le calcaire oolithique, est formé de calcite (carbonate de calcium) qui se dépose autour des grains de sable. Ces grains grossissent à mesure qu'ils sont roulés par les vagues.

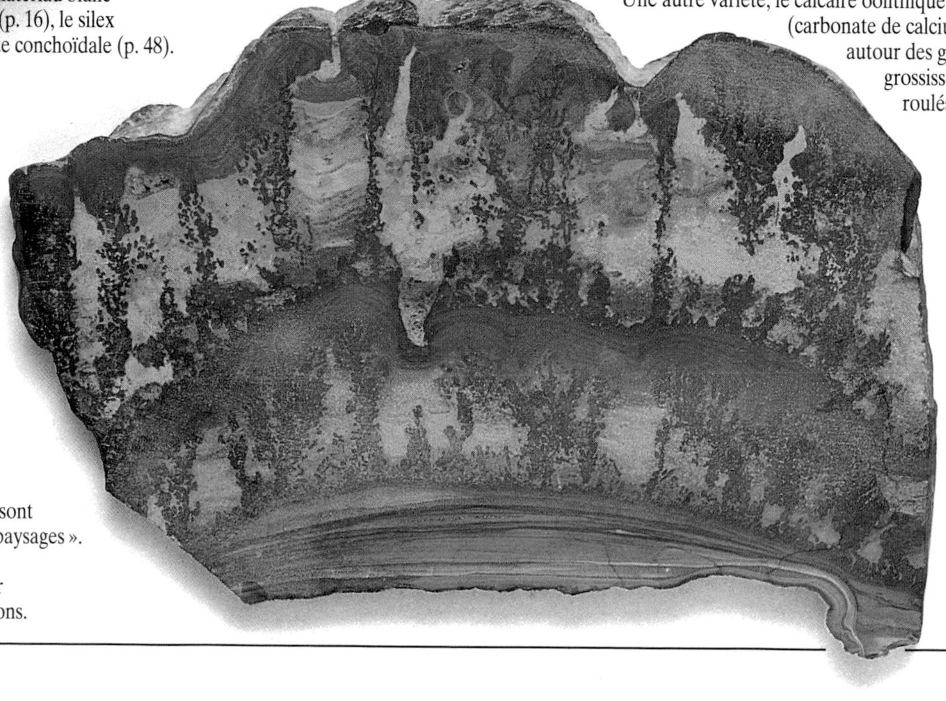

CALCAIRE ALGAIRE
Des calcaires comme celui-ci sont souvent appelés « marbres à paysages ». En effet, quand les minéraux cristallisent, ils peuvent imiter la forme d'arbres ou de buissons.

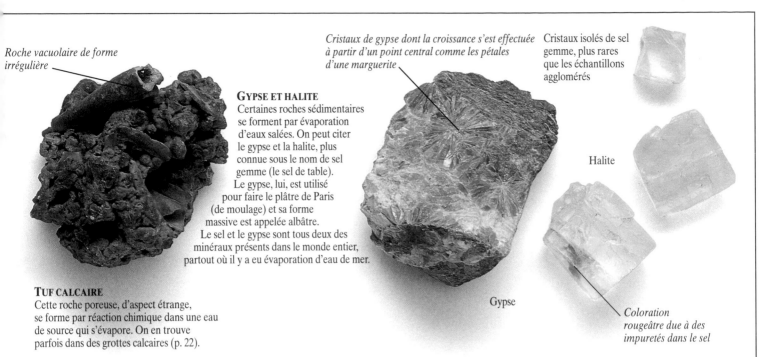

Roche vacuolaire de forme irrégulière

Cristaux de gypse dont la croissance s'est effectuée à partir d'un point central comme les pétales d'une marguerite

Cristaux isolés de sel gemme, plus rares que les échantillons agglomérés

GYPSE ET HALITE

Certaines roches sédimentaires se forment par évaporation d'eaux salées. On peut citer le gypse et la halite, plus connue sous le nom de sel gemme (le sel de table). Le gypse, lui, est utilisé pour faire le plâtre de Paris (de moulage) et sa forme massive est appelée albâtre. Le sel et le gypse sont tous deux des minéraux présents dans le monde entier, partout où il y a eu évaporation d'eau de mer.

Halite

Gypse

TUF CALCAIRE

Cette roche poreuse, d'aspect étrange, se forme par réaction chimique dans une eau de source qui s'évapore. On en trouve parfois dans des grottes calcaires (p. 22).

Coloration rougeâtre due à des impuretés dans le sel

GRÈS

Bien que ces deux roches soient constituées par agglomération de grains de sable, leur texture est différente. Le grès rouge s'est formé dans le désert où les grains de quartz ont été érodés et polis par le vent. Parfois, les grains plus anguleux ont été enfouis avant d'avoir été arrondis.

Grès

Grès rouge

ARGILE

Formée de grains très fins invisibles à l'œil nu, l'argile est gluante quand elle est mouillée. Elle peut être grise, noire, blanche ou jaunâtre. Quand elle est compacte et sèche, elle constitue une roche dure : le schiste argileux.

GRAND CANYON

Cet impressionnant paysage des États-Unis est dû à l'érosion de grès rouge et de calcaire.

Galet de silex

Fragment de roche

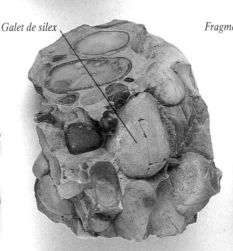

CENDRES VOLCANIQUES STRATIFIÉES

Dans de nombreuses roches sédimentaires, il est possible de distinguer chaque couche de sédiments qui forment des bandes bien visibles. Ici, les zonations sont dues à des cendres volcaniques. La surface de la roche a été polie pour mettre en évidence cette particularité.

CONGLOMÉRATS

Dans cette roche, les galets de silex ont été émoussés et roulés çà et là au fond des rivières ou des mers. Après avoir été enfouis, ils ont été assemblés et compactés progressivement. Ils forment un conglomérat.

BRÈCHE

Comme les conglomérats, les brèches contiennent des fragments de roches. Elles se forment souvent au pied même des pentes d'où proviennent les éboulis. Il n'y a donc pas de transport, ni d'usure, avant leur agglomération.

LES JEUX DU CALCAIRE

Les formations calcaires les plus extraordinaires sont probablement les grottes spectaculaires formées de stalactites et de gigantesques stalagmites. Les grottes sont le résultat de la transformation du carbonate en bicarbonate par des eaux de pluie légèrement acides (p. 30). Ce matériau se dissout dans l'eau qui l'emporte. Cette réaction chimique est à l'origine des nombreux paysages calcaires karstiques.

Partie supérieure de la stalactite qui est reliée au plafond

Point d'intersection

Des stalactites de cette grosseur ont plusieurs centaines d'années.

STALACTITES
Elles se forment dans les grottes où l'eau souterraine contenant de la calcite dissoute s'écoule du plafond et laisse un léger dépôt en s'évaporant. Elles « poussent » depuis le plafond vers le bas, et grandissent de quelques milimètres par an. Elles peuvent parfois atteindre plusieurs mètres de longueur. Là où l'approvisionnement en eau est saisonnier, les stalactites peuvent présenter une croissance annuelle en anneaux, identique à celle des troncs d'arbre.

Double stalactite orange

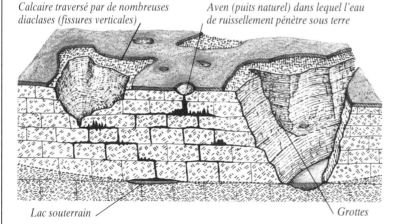

Calcaire traversé par de nombreuses diaclases (fissures verticales)

Aven (puits naturel) dans lequel l'eau de ruissellement pénètre sous terre

Stalactite formée après la jonction de deux autres, plus petites, qui ont grandi au même rythme

Lac souterrain

Grottes

PAYSAGES CALCAIRES
La pluie dissout la calcite du calcaire, ce qui crée des fissures étroites mais profondes. Puis ces fissures s'élargissent. En surface, tout est sec ; l'eau disparaît, à peine tombée. Les cheminées donnent des gouffres d'effondrement. L'eau forme des rivières souterraines et des lacs dans les grottes (ci-dessus). Une partie de la calcite dissoute se redépose en stalactites et stalagmites.

PLANS DE SALES EN FRANCE
Ces blocs calcaires plats ont été ciselés et fissurés par les ruissellements (on parle de lapiaz ou lapiés). On les trouve là où l'érosion du calcaire n'a pas laissé de résidus insolubles, d'argile, par exemple, pour former des sols.

TUFS
Les tufs (p. 21) se forment quand l'eau précipite de la calcite sur une surface rocheuse dans des zones de faible pluviosité. Si un objet artificiel est laissé dans une eau riche en calcaire, il peut se recouvrir de concrétions calcaires, les tufs.

Structure semblable à du corail

GROTTES D'EASE GILL, ANGLETERRE
Les fines stalactites et stalagmites sont très spectaculaires dans cet ensemble de grottes situées sous les collines des Pennines, dans le Lancashire.

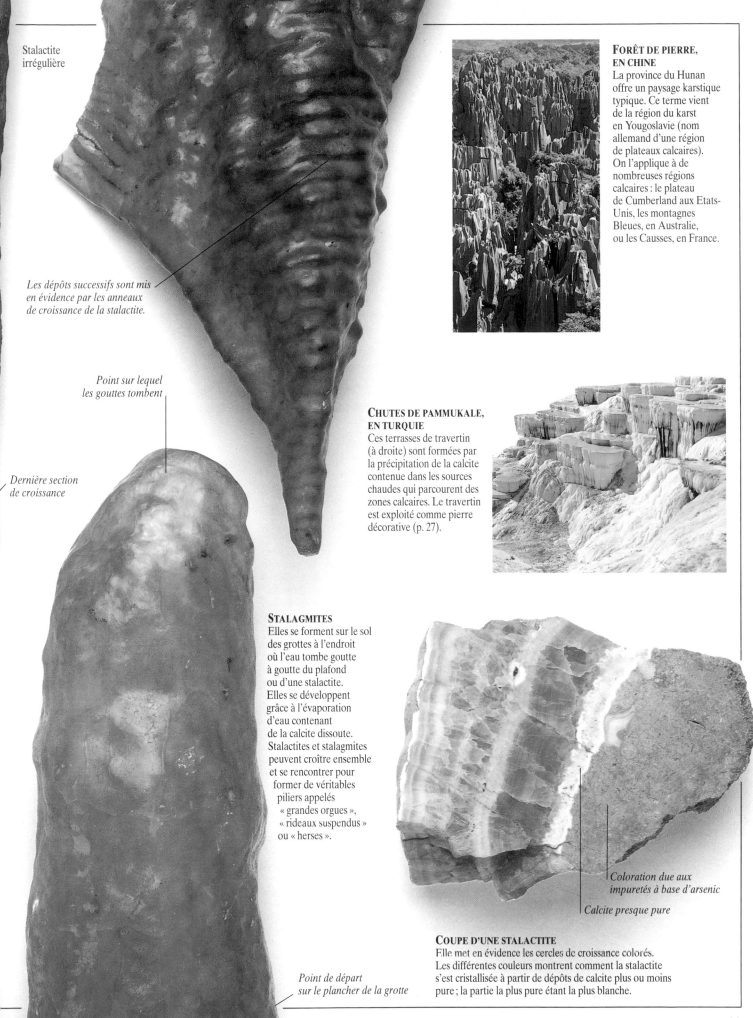

Stalactite
irrégulière

*Les dépôts successifs sont mis
en évidence par les anneaux
de croissance de la stalactite.*

Point sur lequel
les gouttes tombent

*Dernière section
de croissance*

**FORÊT DE PIERRE,
EN CHINE**
La province du Hunan
offre un paysage karstique
typique. Ce terme vient
de la région du karst
en Yougoslavie (nom
allemand d'une région
de plateaux calcaires).
On l'applique à de
nombreuses régions
calcaires : le plateau
de Cumberland aux Etats-
Unis, les montagnes
Bleues, en Australie,
ou les Causses, en France.

**CHUTES DE PAMMUKALE,
EN TURQUIE**
Ces terrasses de travertin
(à droite) sont formées par
la précipitation de la calcite
contenue dans les sources
chaudes qui parcourent des
zones calcaires. Le travertin
est exploité comme pierre
décorative (p. 27).

STALAGMITES
Elles se forment sur le sol
des grottes à l'endroit
où l'eau tombe goutte
à goutte du plafond
ou d'une stalactite.
Elles se développent
grâce à l'évaporation
d'eau contenant
de la calcite dissoute.
Stalactites et stalagmites
peuvent croître ensemble
et se rencontrer pour
former de véritables
piliers appelés
« grandes orgues »,
« rideaux suspendus »
ou « herses ».

*Coloration due aux
impuretés à base d'arsenic*

Calcite presque pure

COUPE D'UNE STALACTITE
Elle met en évidence les cercles de croissance colorés.
Les différentes couleurs montrent comment la stalactite
s'est cristallisée à partir de dépôts de calcite plus ou moins
pure ; la partie la plus pure étant la plus blanche.

*Point de départ
sur le plancher de la grotte*

23

LES ROCHES MÉTAMORPHIQUES

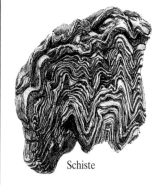
Schiste

Ces roches tirent leur nom des mots grecs « meta » et « morphe » qui signifient « changement de forme ». Ce sont des roches ignées (p. 16) ou sédimentaires (p. 20) qui ont été transformées sous l'influence de chaleurs ou de pressions. De telles conditions peuvent apparaître au cours de la formation des montagnes (p. 6) ; les roches ensevelies, soumises à de hautes températures, sont tassées ou plissées. Leur recristallisation donne lieu à la formation de nouveaux minéraux.

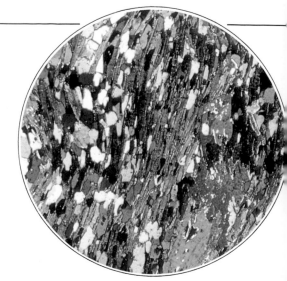

COUPE DE MICASCHISTE À GRENAT
Le microscope pétrologique (p. 42) met en évidence, sur cette roche de Norvège, des cristaux de mica vivement colorés et en forme de lamelles. Le quartz et le feldspath apparaissent en gris, alors que le grenat est noir.

Marbre saccharoïde

Les grains réguliers donnent une apparence de sucre.

MARBRES
A très haute température, le calcaire se transforme. De nouveaux cristaux de calcite croissent et forment une roche compacte connue sous le nom de marbre. On le confond parfois avec le quartzite. Le marbre est plus tendre et peut facilement être entaillé avec un couteau. Certains marbres à grain moyen ressemblent à du sucre et sont appelés « saccharoïdes » (à gauche). Cet échantillon vient de Corée. Les deux autres marbres (à gauche et à droite) sont formés à partir de calcaires contenant des impuretés, comme le pyroxène.

Marbre nodulaire gris

Marbre impur

Cornéenne tachetée

Ardoise à chiastolite

— *Cristaux allongés de chiastolite*

— *Agrégats de carbone*

Ardoise tachetée

DE L'ARDOISE À LA CORNÉENNE
Sous l'effet de la chaleur, certains éléments de la roche peuvent recristalliser. Les taches irrégulières que l'on voit dans cette ardoise (à gauche) sont de petits agrégats de carbone provoqués par la chaleur d'une intrusion volcanique. En se rapprochant de l'intrusion, on va trouver dans l'ardoise des critaux de chiastolite en forme de pointe. Plus près encore, la recristallisation est complète. Une nouvelle roche très dure apparaît : la cornéenne (à droite).

Schiste à grenat muscovite chlorite

Cristaux de cyanite

Cristaux de grenat rouge

Schiste

SCHISTES

Un groupe important de roches métamorphiques est constitué par les schistes (ci-dessus). Ces roches à grains moyens se forment à partir de schistes argileux ou de boue, mais à une température plus élevée que l'ardoise. Par exemple, le schiste à grenat muscovite chlorite, présenté ici, a subi des températures d'au moins 500° C. C'est le minimum pour que se forment les cristaux de grenat.

ARDOISE

Au cours de la formation d'une montagne, les schistes argileux sont soumis à de très fortes pressions. Le mica lamellaire recristallise à angle droit par rapport à la pression. La roche résultante, l'ardoise, se clive (se fend) facilement en fines lamelles.

Carrière à ardoise au XIXe siècle

Zone sombre à biotite

Zone claire contenant du quartz et feldspath

Cristaux noirs de biotite

Gneiss rubané

Cristaux bleus de cyanite

Gneiss à biotite cyanite

Cristaux d'une variété verte de pyroxène

Cristaux de grenat rouge

ÉCLOGITE

Cette roche très dense est formée sous forte pression. On pense que le phénomène se produit directement dans le manteau du globe terrestre (p. 6), beaucoup plus profondément que la plupart des autres roches. L'éclogite contient du pyroxène et des petits cristaux de grenat rouge.

GNEISS

Soumises à de fortes températures et pressions, les roches magmatiques ou sédimentaires peuvent se tranformer en gneiss. Formés de grains plus grossiers que le schiste, les gneiss sont facilement identifiables par les minéraux alternés en couches qui peuvent être irrégulières quand la roche a été plissée.

Roche granitique rose

Roche hôte sombre

MIGMATITE

Sous l'effet de la chaleur, certaines parties des roches peuvent commencer à fondre et à migrer, créant des déformations. Ces phénomènes sont caractéristiques des migmatites. Elles sont constituées d'une roche sombre dans laquelle s'est introduite une roche granitique plus claire. Echantillons des Highlands, en Ecosse.

LA CHAIR DES STATUES : LE MARBRE

Au sens strict, le marbre est un calcaire métamorphisé
(p. 24). Cependant, le terme « marbre » est souvent utilisé
dans l'industrie de la pierre pour désigner différentes autres
roches. Il est très prisé pour sa grande variété de textures
et de couleurs, et apprécié pour sa facilité de coupe et de polissage. Le marbre
a été largement utilisé par les statuaires, notamment
ceux de la Grèce antique, et les Romains l'utilisaient
massivement en architecture.

MARBRE BRUT
Cet échantillon en provenance de
Malaga, en Espagne, est formé de
cristaux grossiers. Ils est
pratiquement impossible de
prévoir ce que peut révéler son
polissage.

Statue de la Madone de
Médicis par Michel-Ange
en marbre
de Carrare,
vers 1530.

CARRIÈRES DE CARRARE
Le marbre le plus réputé au monde vient
de Carrare, en Toscane, Italie. Michel-Ange
a beaucoup utilisé ce marbre qu'il avait à proximité.

Marbre gris de Bardilla (ci-dessous),
de Carrare, en Italie.
Cet endroit est réputé
pour la production
de ses marbres.

LA FILIÈRE GRECQUE
Ce cipolin (ci-dessus) est un marbre
veiné qui provient de l'île
d'Eubée, en Grèce.
Maintenant, on l'extrait
en Suisse, à l'île d'Elbe,
et dans le Vermont
aux Etats-Unis. Il a été
utilisé dans l'église
byzantine de
Sainte-Sophie
à Istanbul,
en Turquie.

Marbre noir et or
de Ligurie, en Italie
(à droite)

BRECCIA VIOLETTA
A cause de sa texture caractéristique, cette pierre de Toscane, Italie, a été utilisée lors de la construction de l'Opéra de Paris, en 1875.

Le Taj Mahal, célèbre monument indien, est construit dans différents marbres.

TRAVERTIN
Cette variété de tuf (à droite et pp. 21 et 23) présente, une fois poli, de très belles volutes. Echantillon de la province du Cap, en Afrique du Sud.

MACCHIA VECCHIA
Cette brèche calcaire (à droite) est exploitée à Mendrisio, en Suisse.

Détail de marbre incrusté sur le Taj Mahal : inspiration florentine

ROCHE VERTE
La coloration éclatante de ce marbre de Swaziland, en Afrique, est due à la présence de cuivre.

BRÈCHE SANGUINE
Ce conglomérat (p. 21) d'Algérie fut utilisé par les Romains pour le Panthéon.

AU COMMENCEMENT ÉTAIT LE SILEX : LES ÉCLATS DE L'INTELLIGENCE

Très répandu, le silex se brise aisément en éclats aux arêtes coupantes. C'est la raison pour laquelle les pleuples primitifs l'ont adopté pour fabriquer des outils tranchants. À l'origine, il ne s'agissait que de couperets grossiers, mais peu à peu apparurent des armes plus élaborées et des outils comme les racloirs et les couteaux.

Rogon de silex brut trouvé dans des régions crayeuses

Lanière de cuir pour maintenir le silex et le manche de bois

OUTILS EN SILEX
La taille se faisait en frottant le rognon (masse minérale) pour en détacher des éclats jusqu'à obtenir la forme souhaitée (ci-dessus).

Outil à bord tranchant utilisé pour dépouiller et couper

PERCUTEUR DE PIERRE
Les premiers outils ont été réalisés en percutant une pierre contre un silex afin de détacher des éclats. Cela laissait un tranchant dentelé.

TAILLE PAR PRESSION
Des tranchants plus effilés et des éclats plus fins étaient obtenus avec des instruments pointus, des bois de cerf par exemple.

Racloir servant à préparer les peaux d'animaux à l'époque néolithique

Eclats de silex

Tranchant

Grand biface aiguisé

Biface de couleur claire

Petit biface aiguisé

Hommes primitifs utilisant des bifaces

Chopper primitif — Tranchant brut

Tranchant effilé

BIFACES
Au paléolithique, ils étaient utilisés pour briser les os des animaux et les dépouiller, couper le bois et parfois même couper des plantes. On trouve des haches bifaces qui ont entre 300 000 et 70 000 ans. Le plus petit des deux bifaces (à droite) était sans doute plus grand à l'origine, mais des aiguisages répétés ont diminué sa taille. Le biface plus clair remonte à 70 000 - 35 000 av. J.-C. environ.

Herminette mésolithique

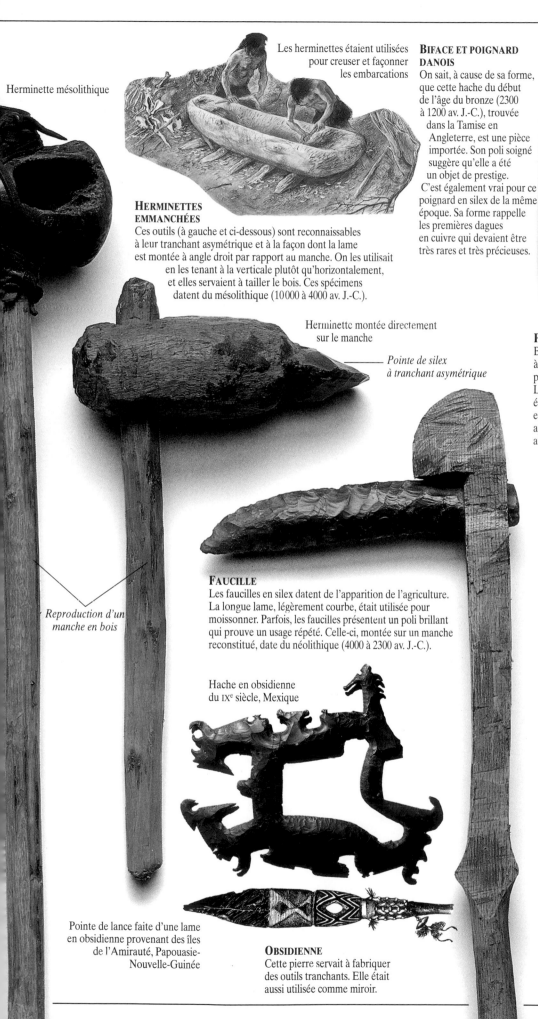

Les herminettes étaient utilisées pour creuser et façonner les embarcations

HERMINETTES EMMANCHÉES
Ces outils (à gauche et ci-dessous) sont reconnaissables à leur tranchant asymétrique et à la façon dont la lame est montée à angle droit par rapport au manche. On les utilisait en les tenant à la verticale plutôt qu'horizontalement, et elles servaient à tailler le bois. Ces spécimens datent du mésolithique (10 000 à 4000 av. J.-C.).

Herminette montée directement sur le manche

Pointe de silex à tranchant asymétrique

Reproduction d'un manche en bois

FAUCILLE
Les faucilles en silex datent de l'apparition de l'agriculture. La longue lame, légèrement courbe, était utilisée pour moissonner. Parfois, les faucilles présentent un poli brillant qui prouve un usage répété. Celle-ci, montée sur un manche reconstitué, date du néolithique (4000 à 2300 av. J.-C.).

Hache en obsidienne du IXe siècle, Mexique

Pointe de lance faite d'une lame en obsidienne provenant des îles de l'Amirauté, Papouasie-Nouvelle-Guinée

OBSIDIENNE
Cette pierre servait à fabriquer des outils tranchants. Elle était aussi utilisée comme miroir.

Hache

Poignard en silex

BIFACE ET POIGNARD DANOIS
On sait, à cause de sa forme, que cette hache du début de l'âge du bronze (2300 à 1200 av. J.-C.), trouvée dans la Tamise en Angleterre, est une pièce importée. Son poli soigné suggère qu'elle a été un objet de prestige.
 C'est également vrai pour ce poignard en silex de la même époque. Sa forme rappelle les premières dagues en cuivre qui devaient être très rares et très précieuses.

POINTES DE FLÈCHES
Bien que l'arc et la flèche aient été inventés à l'ère mésolithique, ils étaient encore utilisés pour la chasse au début du néolithique. Les pointes de flèches en forme de feuille étaient très répandues. Plus tard, entre 1800 et 1750 av. J.-C., les pointes denticulées apparaissent. C'est la période de transition avec l'introduction de la métallurgie (ci-dessous).

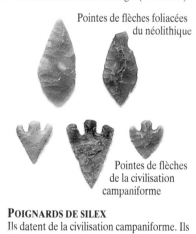

Pointes de flèches foliacées du néolithique

Pointes de flèches de la civilisation campaniforme

POIGNARDS DE SILEX
Ils datent de la civilisation campaniforme. Ils étaient sans doute des symboles de pouvoir, vu leur rareté et le soin avec lequel ils ont été faits.

ARMES ET OUTILS : DES PIERRES À TOUT FAIRE

Le silex n'était pas la seule roche utilisée par les peuples primitifs. Les archéologues ont découvert de nombreux types d'instruments en pierre provenant de différentes civilisations. Certains étaient employés comme armes, d'autres comme outils agricoles ou domestiques : mortiers, récipients de rangement, palette de maquillage. De nombreuses armes paraissent n'avoir jamais été utilisées : il s'agit probablement d'objets destinés aux dieux dans le rite des offrandes.

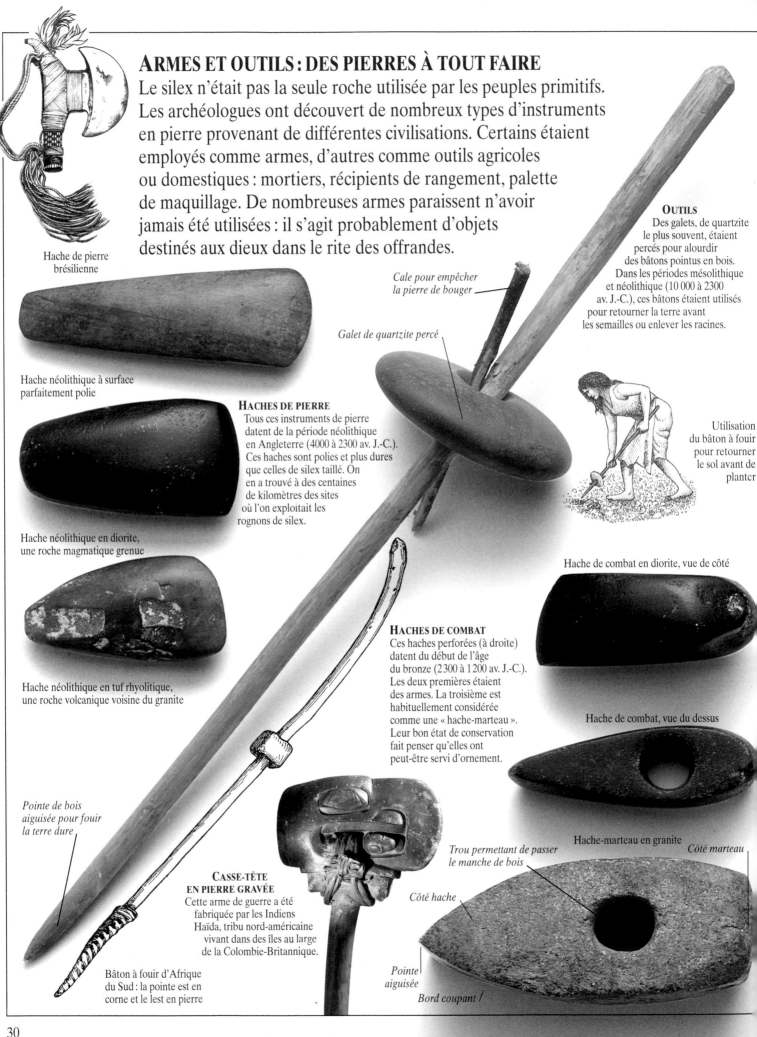

Hache de pierre brésilienne

Hache néolithique à surface parfaitement polie

Hache néolithique en diorite, une roche magmatique grenue

Hache néolithique en tuf rhyolitique, une roche volcanique voisine du granite

HACHES DE PIERRE
Tous ces instruments de pierre datent de la période néolithique en Angleterre (4000 à 2300 av. J.-C.). Ces haches sont polies et plus dures que celles de silex taillé. On en a trouvé à des centaines de kilomètres des sites où l'on exploitait les rognons de silex.

Cale pour empêcher la pierre de bouger

Galet de quartzite percé

OUTILS
Des galets, de quartzite le plus souvent, étaient percés pour alourdir des bâtons pointus en bois. Dans les périodes mésolithique et néolithique (10 000 à 2300 av. J.-C.), ces bâtons étaient utilisés pour retourner la terre avant les semailles ou enlever les racines.

Utilisation du bâton à fouir pour retourner le sol avant de planter

Hache de combat en diorite, vue de côté

HACHES DE COMBAT
Ces haches perforées (à droite) datent du début de l'âge du bronze (2300 à 1200 av. J.-C.). Les deux premières étaient des armes. La troisième est habituellement considérée comme une « hache-marteau ». Leur bon état de conservation fait penser qu'elles ont peut-être servi d'ornement.

Hache de combat, vue du dessus

Pointe de bois aiguisée pour fouir la terre dure

CASSE-TÊTE EN PIERRE GRAVÉE
Cette arme de guerre a été fabriquée par les Indiens Haïda, tribu nord-américaine vivant dans des îles au large de la Colombie-Britannique.

Trou permettant de passer le manche de bois

Hache-marteau en granite

Côté marteau

Côté hache

Bâton à fouir d'Afrique du Sud : la pointe est en corne et le lest en pierre

Pointe aiguisée

Bord coupant

PIERRES À AIGUISER

Les outils en bronze étaient aiguisés en frottant le tranchant sur des pierres oblongues. Elles étaient souvent percées pour être suspendues à un lien passé autour du cou ou à la ceinture. Les pierres à aiguiser, reproduites ici, datent de l'âge du bronze (2300 à 700 av. J.-C.).

PIERRE DE FORGE EN STÉATITE GRAVÉE

Cette variété comportant du talc se trouve dans certaines roches métamorphiques. Elle était utilisée pour la fabrication des armes et des outils en métal des Vikings.

Mortier en forme d'oiseau, sculpté par les Indiens Haïda

FARDS

A l'époque romaine, on utilisait de la craie ou de la céruse (carbonate basique de plomb), de l'ocre rouge (argile) pour blanchir le visage et les bras, rosir les lèvres et les joues, et du noir de fumée pour noircir les sourcils. Les poudres étaient délayées sur des palettes de pierre, au moyen de petites cuillères en bronze ou en os, avant d'être appliquées en pâte ou au pinceau.

FUSEAUX

Les Romains utilisaient également des pierres pour filer la laine ou le coton. Ils attachaient l'extrémité de la quenouille à un fuseau. Le poids de la pierre et le mouvement de rotation étiraient le fil qui s'enroulait autour du fuseau.

Manche

Pierre supérieure qui tournait sur la pierre fixe

MEULE À GRAINS ROMAINE

A l'époque romaine, cette meule transportable (à droite) était utilisée pour moudre le grain dans les maisons. Elle était composée de deux pierres : la première était maintenue dans le sol ou fixée sur un socle ; la seconde, placée au-dessus, tournait sur un axe. On l'activait au moyen d'un manche. Le grain était introduit dans le trou de la pierre supérieure, et le mouvement de rotation le faisait tomber entre les surfaces de broyage.

Utilisation de la meule en pierre pour moudre le grain à l'âge du fer

Grain prêt à être moulu

Conglomérat (p. 21) attaché à un socle ou calé dans le sol

MULTICOLORES : LES PIGMENTS MINÉRAUX

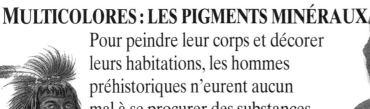

Pour peindre leur corps et décorer leurs habitations, les hommes préhistoriques n'eurent aucun mal à se procurer des substances colorantes. Ils broyaient les roches colorées, les réduisaient en poudre qu'ils mélangeaient à de la graisse animale. Au cours des siècles, le développement du commerce favorise l'importation de nouveaux colorants. De nos jours, les colorants chimiques ont remplacé les couleurs naturelles de nombreux pigments toxiques.

Argile brune

Argile verte

Poudre d'argile brune

Poudre d'argile verte

Ocre

Terre d'ombre

LES COLORANTS ARGILEUX
Les argiles ont fourni les premiers colorants. Très répandues et faciles à réduire en poudre, ces argiles donnent surtout des verts et des bruns.

LES BLANCS
Les premiers pigments blancs étaient extraits de la craie (p. 20) ou, dans certaines régions, du kaolin (argile à porcelaine).

Craie en poudre

Peinture à la craie blanche

LES PEINTURES RUPESTRES
Les premières connues ont été exécutées par les hommes des cavernes, avec un mélange d'argile, de craie, de terre, d'os et de bois brûlé.

VARIATIONS DE COULEUR DANS UN MINÉRAL
De nombreux minéraux ont toujours la même teinte, ce qui facilite leur identification. D'autres peuvent présenter une grande diversité de couleurs, comme la tourmaline (p. 55) avec ses cristaux noirs, bruns, roses, verts ou bleus. Parfois toutes ces couleurs sont réunies dans un même cristal.

Bison de la grotte de Niaux, en France, 20000 ans av. J.-C.

DÉTERMINATION DES MINÉRAUX
Le broyage des roches est le meilleur moyen de déterminer les minéraux qui les constituent. Une méthode plus simple consiste à frotter l'échantillon avec précaution sur un carreau blanc non émaillé. De nombreux minéraux laissent une trace de couleur particulière de même couleur que la roche compacte, ou donnent une poudre blanche qui n'est pas caractéristique.

Orpiment

Cinabre

Crocoïte

Chalcopyrite

Hématite

Molybdénite

NOIR COMME LE CHARBON
Encore utilisé de nos jours, le charbon de bois était bien connu des peintres des cavernes. Les braises de leur foyer en étaient une source abondante.

Poudre de charbon de bois

Peinture au noir de fumée

Poudre d'hématite

Poudre de réalgar

LE MAQUILLAGE
L'hématite est riche en pigments rouges et bruns qui ont servi très tôt au maquillage ou aux peintures de guerre des hommes. On la réduisait alors en poudre. Elle a servi aussi de poudre abrasive en joaillerie.

Peinture rouge

Peinture orange à base d'arsenic

L'ORANGE
Vers 1500 ans av. J.-C., les Egyptiens broyaient le réalgar, minerai d'arsenic trouvé dans des sources chaudes, pour obtenir un pigment orange. Les artistes médiévaux préférèrent utiliser le cinabre (carbonate naturel de mercure).

Poudre de malachite

Poudre d'orpiment

Peinture jaune d'or

L'ORPIMENT
Au Moyen Age, on utilisait ce minerai d'arsenic pour fabriquer de nombreuses couleurs et pour imiter l'or. La ressemblance était si parfaite que des alchimistes, induits en erreur, tentèrent d'en extraire le noble métal.

Poudre de lapis-lazuli

LE VERT INTENSE
La malachite est un carbonate de cuivre dont la poudre, d'un vert éclatant, a été utilisée en Egypte à l'âge du bronze.

Peinture verte à base de malachite

Peinture bleu outremer

Poudre d'azurite

Poudre de cinabre

UN BLEU PRÉCIEUX
La transformation d'une poudre de lapis-lazuli (silicate d'aluminium et de sodium contenant du soufre) en bleu outremer (p. 52) fut réalisée en Perse. Mais cette couleur coûtant cher, on lui a souvent préféré l'azurite.

LE VERMILLON NATUREL
L'éclatant rouge vermillon du cinabre, un sulfure de mercure, était utilisé en Chine dans les temps préhistoriques. Il s'est répandu au Moyen Age. Le vermillon a été ensuite fabriqué à partir d'un mélange de mercure et de soufre.

LES ENLUMINURES
Au XIIIe siècle, on utilisait beaucoup le bleu outremer et le vermillon, comme dans cette œuvre du peintre italien Duccio.

LE BLEU TRADITIONNEL
L'azurite, carbonate naturel de cuivre, fut l'un des pigments bleus les plus prisés de l'Antiquité pour sa couleur éclatante.

Peinture bleu azur

Peinture vermillon

LES PIERRES DE CONSTRUCTION

La plupart des grands monuments du passé, temples et palais, ont subsisté grâce à la résistance des pierres naturelles qui ont servi à leur construction. Ces pierres, qui par nature se fissurent peu et ne s'altèrent pas, sont relativement faciles à travailler. De nos jours, avec les matériaux modernes, les pierres naturelles de construction comme le marbre (p. 26) sont essentiellement destinées à la décoration.

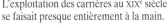

L'exploitation des carrières au XIXe siècle se faisait presque entièrement à la main.

CALCAIRE NUMMULITIQUE

Ce calcaire (à droite), un des plus célèbres du monde, est extrait près du Caire, en Egypte. Il contient de nombreux petits fossiles et a été formé il y a près de 40 millons d'années (d'où son qualificatif de nummulitique, c'est-à-dire du début du tertiaire). Il a servi à construire les pyramides.

Fossiles

Piquetage

LA PIERRE DE PORTLAND

Les traces à la surface de cette pierre ont été produites par piquetage, une technique décorative qui fut populaire au siècle dernier en Angleterre. Après l'incendie de Londres en 1666, ce type de calcaire fut utilisé pour reconstruire la cathédrale Saint-Paul.

CALCAIRE OOLITHIQUE

Formé il y a près de 160 millions d'années, ce calcaire (ci-dessus) est utilisé comme pierre de construction, mais également comme composant du ciment.

Ardoise

Les pyramides d'Egypte, construites avec le calcaire de la région

MOSAÏQUE CHRÉTIENNE

De petits fragments de roches sont souvent utilisés pour les pavements en mosaïque.

ARDOISE

Contrairement à la plupart des matériaux de construction, les éléments de couverture pour les toitures doivent pouvoir se débiter en plaques. L'ardoise (à gauche) est idéale (p. 25). Cependant, lorsqu'on ne peut trouver d'ardoise sur place, on se sert de roches locales de moindre qualité.

NOTRE-DAME DE PARIS
La célèbre cathédrale a été construite entre 1163 et 1250 avec du calcaire exploité non loin de là, faubourg Saint-Jacques. Les catacombes de Paris sont d'ailleurs d'anciennes carrières.

Tuile mécanique

Tuile flamande

GRÈS
Les grès de couleurs variées sont d'excellents matériaux pour les ouvrages en pierre. Carcassonne est en partie édifiée en grès, de même que de nombreux monuments moghols en Inde.

TUILES POUR TOITURE
Dans nombre de régions du monde, les tuiles d'argile sont moulées et cuites.

LES PIERRES DE FABRICATION HUMAINE
Un certain nombre de matériaux de construction sont fabriqués par l'homme. C'est le cas de la brique, de la tuile, du ciment, du béton ou du verre. Dans tous les cas, ces matériaux ont pour origine des roches naturelles.

Brique beige granuleuse

GRANITE
D'un usage fréquent pour les façades des grands bâtiments, le granite poli (ci-dessous) est également employé pour les pierres tombales. La majeure partie de la ville de Saint-Pétersbourg, en Russie, y compris les palais impériaux, est construite en granite importé de Finlande.

Grès vieux de 230 millions d'années

EMPIRE STATE BUILDING
New York, Etats-Unis. Il est construit principalement en granite et en grès, mais certains matériaux de fabrication humaine ont aussi été utilisés.

Brique rouge lisse

LAUSE CALCAIRE
Cette pierre (à gauche) de 160 millions d'années environ est également utilisée pour les toitures.

Grès rouge d'Ecosse (pierre de revêtement)

BRIQUES
L'argile se moule facilement, et elle est cuite pour la fabrication de briques.

LA GRANDE MURAILLE DE CHINE
Elle s'étend sur 2 400 km. C'est la plus impressionnante des constructions humaines. Elle a été élevée à partir de matériaux divers en fonction des terrains traversés. Certaines sections renferment des briques, du granite ou des roches de la région.

Les impuretés que contiennent les argiles sont à l'origine des différentes couleurs et aussi des différences de solidité des briques.

LE CIMENT
On l'obtient en broyant et en chauffant un calcaire particulier. Mélangé à du sable, du gravier et de l'eau, ce ciment donne le béton, qui est peut-être le plus important matériau de construction actuel.

UN MORCEAU DE LA NUIT DES TEMPS : LE CHARBON

Le charbon que nous brûlons aujourd'hui est vieux de plusieurs millions d'années. Il apparaît d'abord sous forme de végétation au sein des forêts marécageuses qui recouvraient certaines parties de l'Europe, de l'Asie et de l'Amérique du Nord. Lorsque les feuilles, les graines et les branches mortes tombent sur le sol humide des forêts, elles se décomposent. Cette matière pourrissante et molle s'enterre progressivement. Le poids des éléments qui la recouvrent en expulse l'eau peu à peu en comprimant la matière végétale en une masse compacte de tourbe, puis de charbon.

Racines

JAIS
Le jais est une variété de lignite dur et noir provenant de fragments de bois flottés qui se sont déposés au fond de la mer. Il est très léger. On peut le polir, le ciseler pour l'employer en bijouterie ou pour des objets décoratifs. Son utilisation remonte à l'âge du bronze.

LE « CHARBON » EN BIJOUTERIE
Une des principales sources de jais se trouve dans le Yorkshire, au nord de l'Angleterre. Ces pendentifs romains ont été découverts à York et sont presque certainement d'origine locale.

LE SCHISTE BITUMINEUX
De cette roche sédimentaire, on peut extraire du bitume. Elle contient des substances d'origine végétale et animale appelées kérogène. Par distillation, on en extrait des hydrocarbures.

Feuille

Tige

Enveloppe de graine

LES ORIGINES DU CHARBON
Les marécages de l'époque carbonifère
ressemblaient probablement à ce schéma.

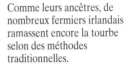

LES COMPOSANTS BRUTS DU CHARBON
La formation du charbon se fait à partir d'épaisses
couches de végétation déposées dans des zones
mal drainées, comme les marécages et les marais.
Les végétaux morts s'imbibent d'eau, commencent
à pourrir, mais ne se désagrègent pas complètement.

LA COUCHE DE TOURBE
La tourbe est plus compacte que la couche
superficielle de végétation en décomposition.
Quelques racines et enveloppes de graines
y sont encore visibles. De la tourbe se forme
à l'époque actuelle dans certaines régions
du monde. On la débite et la sèche
pour la brûler comme combustible.

LA COLLECTE DE TOURBE
Comme leurs ancêtres, de
nombreux fermiers irlandais
ramassent encore la tourbe
selon des méthodes
traditionnelles.

LE LIGNITE
Une fois la tourbe comprimée, elle forme
une substance brune, friable, appelée lignite,
qui contient encore des restes identifiables de plantes.
Alors que 90 % de la tourbe est constituée d'eau,
le lignite n'en renferme plus que 50 %.

LES VEINES DE CHARBON
Elles sont intercalées entre des couches
de roches différentes, des grès ou des
argiles, qui se sont déposées au fond des
rivières. Les veines de lignite reproduites ici
se trouvent dans une carrière française.

L'« OR NOIR »
Sous l'effet de la pression, le lignite se transforme en houille grasse ou
en charbon domestique. Il est dur, cassant et possède une forte teneur
en carbone. Il contient une substance poudreuse ressemblant au charbon
de bois qui le rend salissant au toucher. Un bloc de charbon peut présenter
une alternance de couches luisantes et mates où l'on peut reconnaître
des fragments de plantes, des spores par exemple.

Au XIXᵉ siècle, pendant
la révolution industrielle,
de nombreux enfants
descendaient dans la mine
pour travailler de longues
heures dans des conditions
déplorables, comme
le montre cette gravure
de 1842.

LES MINES DE CHARBON
L'homme extrait le charbon depuis
le Moyen Age. Il y a quelques mines
à ciel ouvert, mais la plupart des veines
sont à plusieurs centaines de mètres
sous la terre ou sous la mer. De nos jours,
l'extraction du charbon est mécanisée.

L'ANTHRACITE
L'anthracite est la meilleure qualité
de charbon. Brillant, plus dur que
les autres, il ne laisse pas de traces
au toucher. L'anthracite a la plus
forte teneur en carbone et fournit
un maximum de chaleur
pour un minimum de fumée.

LES FOSSILES, MÉMOIRE MINÉRALE

Les fossiles sont les vestiges d'une vie passée conservés dans la roche de la croûte terrestre. Les fossiles se forment à partir d'un animal ou d'une plante enfouis dans des sédiments. Habituellement, les parties molles se décomposent alors que les parties dures subsistent. C'est pourquoi l'essentiel des fossiles est constitué par des os, des coquilles d'animaux, des feuilles ou les parties ligneuses des plantes. Les coquilles de certains fossiles marins se réduisent même quelquefois à une simple empreinte indiquant leur forme d'origine. Les principales roches sédimentaires dans lesquelles on trouve des fossiles sont les calcaires et les schistes. Ces nombreux fossiles sont les vestiges de plantes ou d'animaux dont les espèces ont depuis longtemps disparu (par exemple, les dinosaures). Ils fournissent des informations sur la faune et la flore qui existaient il y a des millions d'années et permettent au paléontologue de dater les roches qui les contiennent.

Argile

Empreinte de feuille

Feuille de charme

EMPREINTE DE FEUILLE

Cette feuille fossilisée (à gauche) est identique à une feuille de charme actuelle (ci-dessus). Bien qu'elle ait environ 40 millions d'années, la plupart des détails, y compris la texture, sont encore visibles.

Feuille de magnolia du miocène

Neuropteris - ptéridospermée - fossilisée dans un minerai de fer

PLANTES FOSSILES

On trouve de nombreux fossiles de fougères dans les houilles (p. 36). Formés pendant la période carbonifère, ils sont appelés fossiles du terrain houiller. Ces fougères n'appartiennent pas exactement aux mêmes espèces botaniques que les fougères actuelles, mais elles sont souvent très semblables.

Fougère de l'ère carbonifère

Fougère actuelle

Fronde d'une fougère appelée *Asterotheca* conservée dans la pierre

Coupe d'une
coquille de nautile

NAUTILE
Comme celle
des ammonites, la coquille
de cet animal est spiralée
et cloisonnée en loges
qui contiennent du gaz. L'animal monte
ou descend dans l'eau ou se déplace à reculons
alors que sa tête est dirigée vers le bas.

DE LOINTAINS ANCÊTRES
Ce calcaire a 200 millions d'années environ. Il contient
les restes de centaines d'ammonites (cornes d'Amon, p. 20).
Ces animaux marins aujourd'hui disparus avaient des coquilles
dures spiralées. Les espèces d'ammonites ont évolué
rapidement et ont vécu dans de nombreuses régions du monde.
Elles peuvent donc être utilisées pour déterminer l'âge relatif
des roches dans lesquelles elles se trouvent. L'équivalent
moderne le plus proche de l'ammonite est le nautile
qui vit dans l'océan Pacifique.

*Fossiles
d'ammonites*

UN CIMETIÈRE D'ESCARGOTS
Ce morceau de calcaire contient les coquilles
dures spiralées de gastéropodes (escargots)
marins d'environ 120 millions d'années.
Par endroits, la coquille blanche a été
dissoute, laissant l'empreinte de l'intérieur.

*Empreinte de l'intérieur
d'une coquille*

*Coquille
de gastéropode*

CHASSE AU FOSSILE
L'abondance des fossiles sur
certaines côtes a fait de leur
collecte un passe-temps
qui a été très populaire
au XIXᵉ siècle.

Escargots communs

39

QUAND LE CIEL LAPIDE LA TERRE

Chaque année, environ 19 000 météorites, pesant chacune 100 g, tombent sur la Terre. La plupart d'entre elles se perdent dans les mers ou dans les déserts. On n'en retrouve pas plus de cinq ou six chaque année. Les météorites sont des fragments de minéraux provenant de l'espace. Quand elles pénètrent dans l'atmosphère, leur surface fond tandis que l'intérieur reste froid. À leur entrée dans l'atmosphère, les météorites sont freinées dans leur chute et leur surface fondue se solidifie pour former une fine croûte noire de fusion.

Fragment
de météorite

*Croûte noire
et vitreuse formée
par fusion partielle
lors du passage à travers
l'atmosphère terrestre*

*Intérieur gris constitué
principalement d'olivine
et pyroxène*

BOULE DE FEU
Photographiée par un régisseur de ranch du Nouveau-Mexique aux Etats-Unis, à 5 heures du matin, cette boule de feu s'est écrasée sur terre en mars 1933 à Pasamonte. Elle avait une trajectoire de faible inclinaison, longue de 800 km. En explosant, elle a provoqué la chute d'une douzaine de pierres météoritiques. Les météorites sont baptisées d'après l'endroit où elles tombent.

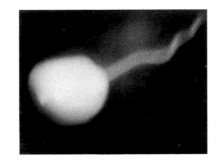

CONTEMPORAINE DE LA TERRE
Cette météorite est tombée à Barwell, dans le Leicestershire, en Angleterre, la veille de Noël, en 1965. Elle avait alors 4 600 millions d'années : elle s'est formée au même moment que la Terre, mais dans un autre endroit du système solaire. Sur dix météorites qui tombent, huit sont des « pierres » telles que celle de Barwell.

MÉTÉORITE MÉTALLIQUE
La météorite du cañon du Diable a percuté la Terre il y a 20 000 ans environ. Différente de celle de Barwell, c'est une météorite en ferronickel. Plus rare que les météorites silicatées, elle est constituée d'un alliage de fer et de nickel contenant environ 5 à 12 % de nickel. Auparavant, les météorites métalliques faisaient partie de petits astéroïdes (ci-contre) qui se sont brisés. La plus grande météorite connue, Hoba en Namibie, est en ferronickel, et pèse environ 60 t. Ce morceau découpé du cañon du Diable a été poli et en partie attaqué à l'acide pour montrer sa structure interne.

MÉTAL ET PIERRE
Les sidérolites forment un groupe particulier de météorites. La surface de cette coupe de météorite des montagnes de Thiel (ci-dessus) a été découpée et polie pour montrer le métal brillant entourant un matériau pierreux, l'olivine. Elle a été trouvée en Antarctique, où des météorites tombées sur terre depuis 300 000 ans environ ont été emprisonnée dans la glace.

CRATÈRE D'EXPLOSION
Quand la météorite du cañon du Diable a heurté l'Arizona, aux Etats-Unis, environ 15 000 t de météorites explosèrent. Un trou énorme, ou cratère météoritique, dc 1,2 km de diamètre environ et de 180 m de profondeur, s'est formé. 30 t de la météorite subsistèrent, éparpillées en petits morceaux dans la région environnante.

Métal

*Partie pierreuse
contenant de l'olivine*

LA COMÈTE DE HALLEY
Les météorites aquifères peuvent provenir de comètes, comme celle de Halley, représentée ici sur la tapisserie de Bayeux.

STRUCTURE D'UN ASTÉROÏDE
De nombreuses météorites viennnent de petites planètes, les astéroïdes, qui n'ont jamais fait partie du système d'une planète, mais tournent autour du Soleil, entre les orbites de Mars et de Jupiter. Le plus grand astéroïde, Cérès, a 1 020 km de diamètre, mais la plupart des astéroïdes ne dépassent pas 100 km de diamètre. Leur intérieur est constitué de plusieurs parties : un noyau central de métal qui est à l'origine de quelques météorites de ferronickel, du type de celle du cañon du Diable ; une zone noyau-manteau qui fournit les météorites sidérolithiques telles que celle des montagnes de Thiel ; une croûte qui donne les météorites silicatées comme celle de Barwell.

Manteau

Croûte

Noyau

Noyau-manteau

PORTEURS D'EAU
La météorite de Murchinson est tombée en Australie en 1969. Elle contient des composés carbonatés et de l'eau de l'espace. Un matériau semblable à celui-ci est supposé former le noyau des comètes. Des réactions chimiques, et non un organisme vivant, sont à l'origine des composés carbonatés. De telles météorites sont rares : seulement trois sur cent appartiennent à ce type.

ROCHES EN PROVENANCE DE LA LUNE ET DE MARS
Cinq météorites, trouvées en Antarctique, sont venues de la Lune. On en veut pour preuve qu'elles ressemblent à des roches de montagnes lunaires récoltées par les missions Apollo. Huit autres météorites sont supposées venir de Mars.

ORIGINE MARTIENNE
La pierre de Nakhla est tombée en Egypte en 1911, et l'on raconte qu'elle a tué un chien. Elle s'est formée il y a 1 300 millions d'années, beaucoup plus récemment que la plupart des météorites. Elle vient probablement de Mars.

DÉCOUVERTES LUNAIRES
Les météorites lunaires sont faites du même matériau que le gros bloc de roche près duquel se tient l'astronaute d'Apollo 17, Harrison Schmitt.

PIERRE DE LUNE
La surface de la Lune est couverte d'un sol, constitué de minuscules morceaux de roches et de minéraux, qui s'est formé par un bombardement répété de météorites. Sur la surface d'un astéroïde, de tels matériaux se compactent et donnent naissance à de nombreuses météorites silicatées. Ici (à gauche), le minéral lumineux et coloré est du feldspath, le sombre est du pyroxène.

SANS EUX PAS DE ROCHES : LES MINÉRAUX

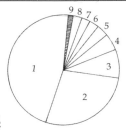

Microscope pétrographique,
permettant d'étudier la
formation et la composition
minéralogique des roches

Huit éléments constituent à eux seuls près de 99%
de la texture de la croûte terrestre. Ces éléments s'associent
pour former les minéraux. Les minéraux silicatés et la silice
prédominent dans la plupart des roches communes, excepté
le « calcaire ». Les roches ignées (pp. 16-17) sont la
composante la plus importante de l'intérieur de la Terre et
contiennent des groupes de minéraux spécifiques et caractéristiques.

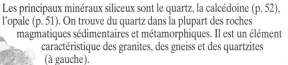

**COMPOSITION DE LA
CROÛTE TERRESTRE**
Par ordre d'importance,
en poids, on trouve :
l'oxygène (1), la silice (2),
l'aluminium (3), le fer (4),
le calcium (5), le sodium
(6), le potassium (7),
le magnésium (8) et tous
les autres éléments (9).

LES MINÉRAUX DES ROCHES GRANITIQUES

Les minéraux formant les roches granitiques et les roches
dioritiques (éruptives) sont composés de feldspath, de quartz, de
mica et d'amphibole. Les feldspaths sont les minéraux les plus
abondants, présents dans
presque toutes les roches.

*Agrégat
de cristaux
prismatiques
noirs et
de calcite*

Cristal isolé
de hornblende

LA SILICE
Les principaux minéraux siliceux sont le quartz, la calcédoine (p. 52),
l'opale (p. 51). On trouve du quartz dans la plupart des roches
magmatiques sédimentaires et métamorphiques. Il est un élément
caractéristique des granites, des gneiss et des quartzites
(à gauche).

Quartz, ou cristal
de roche (ci-dessus)

LES FELDSPAH POTASSIQUES
L'orthose ou feldspath potassique (minéral
de couleur claire) se trouve dans
de nombreuses roches ignées
(pp. 16-17) et métamorphiques
tandis que les microclines
(une variété d'orthose
formée à basse
température)
se rencontre
dans les pegmatites.

Cristal de microcline
vert ou amazonite

Cristaux maclés
d'orthose rosée

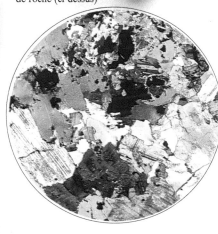

COUPE D'UNE ROCHE GRANITIQUE
Une lamelle de diorite de 0,03 mm d'épaisseur
révèle, au microscope pétrographique, des
amphiboles colorées, quartz fumé et incolore,
et du feldspath plagioclase rayé de gris.

**LA
HORNBLENDE**
C'est une amphibole
que l'on trouve dans les roches ignées
et les roches métamorphiques, les
schistes à homblende par exemple.

LA TRÉNOLITE
Cette amphibole est très
répandue dans les roches
métamorphiques.

*Cristaux argentés sous forme
d'aiguilles fibro-radiées*

LES AMPHIBOLES
Ce groupe de minéraux (ci-dessus)
est largement répandu dans
les roches magmatiques et
métamorphiques. Les amphiboles se
distinguent des pyroxènes (silicates)
par les angles caractéristiques
de leurs plans de clivage (p. 48).

LA MUSCOVITE
Ce mica blanc, riche
en aluminium, est
très abondant dans
les schistes et les gneiss.

*Cristaux tabulaires
brun argenté*

LES MICAS
Il existe deux principales variétés : le mica noir,
riche en fer et en magnésium, et le mica blanc, riche
en aluminium. Tous se clivent en fines lamelles (p. 48).

LA BIOTITE
Ce mica noir, riche en fer,
que l'on trouve habituellement
dans les roches ignées, est aussi
un constituant des schistes et des gneiss.

LES MINÉRAUX DES ROCHES BASIQUES

On trouve dans les roches basiques, comme les basaltes et les gabbros, les sept minéraux que l'on peut voir ici.

LES FELDSPATHS PLAGIOCLASES

Ces minéraux contiennent en proportion variée du sodium et du calcium. Le plagioclase est un constituant des roches magmatiques (pp. 16-17).

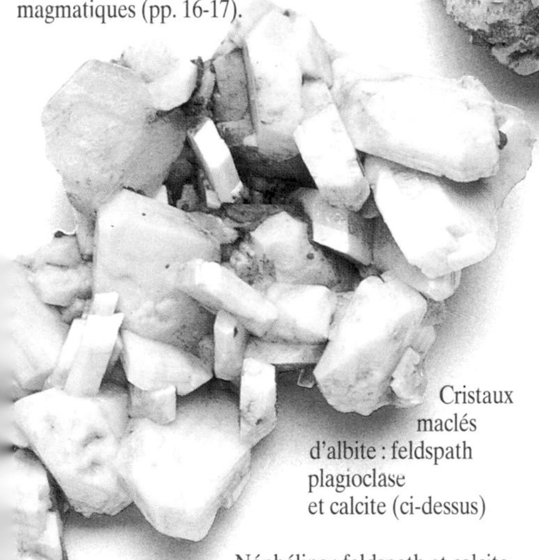

Cristaux maclés d'albite : feldspath plagioclase et calcite (ci-dessus)

Néphéline : feldspath et calcite

LES FELDSPATHOÏDES

Comme leur nom l'indique, ce sont des minéraux apparentés aux feldspaths, mais ils contiennent moins de silice : ils se forment dans les laves volcaniques pauvres en silice.

L'OLIVINE

Ce silicate de fer et de magnésium (à gauche) est typique des roches pauvres en silice, comme les basaltes, les gabbros et péridotites. L'olivine se présente souvent sous forme de masses grenues dont les grains sont de taille variable. Ses cristaux bien formés sont une gemme : le péridot.

Cristaux verts d'olivine

Cristaux roses d'anorthite : feldspath plagioclase et calcite

Bombe volcanique du Vésuve contenant de l'olivine

Cristal d'augite isolé

COUPE DE ROCHE BASIQUE

Une lame mince de basalte à olivine, vue en lumière polarisée : olivine aux couleurs éclatantes, pyroxène jaune-brun, feldspaths plagioclases gris à fines raies.

Cristal de leucite (ci-dessous) : feldspathoïde, une roche volcanique

Cristaux prismatiques d'augite : pyroxène noir verdâtre

LES PYROXÈNES

Les pyroxènes sont des silicates de calcium, de magnésium et de fer. L'augite est un pyroxène que l'on trouve en abondance dans les roches éruptives comme les gabbros et les basaltes. Moins connue, l'enstatite est présente dans les gabbros, les pyroxénites et quelques péridotites.

Cristal prismatique d'enstatite et de biotite (à droite)

Cette argile à porcelaine, la kaolinite, provient de la décomposition des feldspaths sous l'action des eaux d'infiltration

AUTRES MINÉRAUX

Il existe deux autres groupes importants de minéraux qui constituent les roches : les carbonates et les argiles.

LES CARBONATES

Ce sont d'importants constituants des roches sédimentaires (calcaire) ou métamorphiques (marbres), également présents dans les filons de minerai. La calcite est le principal minéral des calcaires.

LA DOLOMITE

Ce carbonate se trouve dans certains dépôts sédimentaires, en alternance avec des calcaires.

Montmorillonite

LES ARGILES

Partie importante des roches sédimentaires, les argiles se forment par désagrégation et altération chimique des silicates d'alumine. Le kaolin, la montmorillonite et l'illite sont des roches argileuses (ci-dessus et à droite).

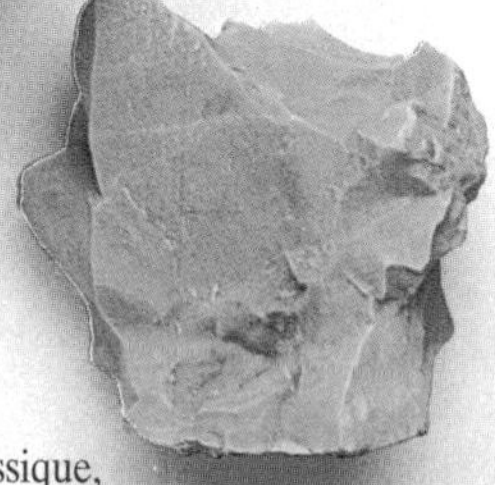

Ce minéral argileux potassique, l'illite, a une structure feuilletée.

LES CRISTAUX, TÉMOINS IMMUABLES DE L'ORDRE DU MONDE

De tout temps la beauté des cristaux a fasciné l'homme. Et pendant des siècles il a cru que le cristal de roche, variété de quartz, était une glace si dure qu'elle ne pouvait fondre. Le mot « cristal » vient du grec « kryos » qui signifie « froid glacial ». En fait, un cristal est un solide constitué par un assemblage d'atomes disposés régulièrement suivant un motif. Grâce à cette structure interne régulière, le cristal présente des surfaces planes, lisses et miroitantes, appelées faces. Beaucoup de cristaux sont utilisés dans le commerce, notamment pour la taille des pierres précieuses.

Recherches de cristaux
dans les Alpes en 1870

Lumière réfléchie sur une face cristalline

Cristaux orientés dans des directions
de croissance aléatoires

Striures formées lors de la croissance
du cristal

Plan d'intersection

Grand cristal maclé

Faces bien développées

« GLACE » SCULPTÉE

De beaux groupes de cristaux naturels, tels que ce cristal de roche, paraissent avoir été taillés et polis à la main. Ce spécimen, trouvé en Isère, en France, est particulièrement intéressant parce que constitué d'un grand cristal maclé et de nombreux monocristaux. Les arêtes fines et les sillons sur quelques-unes des facettes sont appelés striures. Elles se sont formées là où les faces de deux cristaux se sont développées en même temps.

SYMÉTRIE CRISTALLINE

Les formes cristallines et les symétries qui en découlent ont fait regrouper les cristaux en sept systèmes cristallographiques. Cela se retrouve en observant la régularité des faces et leur symétrie sur le côté opposé. En effet, si une face est visible sur un côté, il en existe obligatoirement une autre symétrique sur le côté opposé. Sur des agrégats, il est très difficile de montrer cette symétrie, les faces des cristaux étant trop enchevêtrées.

MESURES D'ANGLES

Une des caractéristiques essentielles de la détermination des cristaux est la mesure des angles des faces. Ces mesures sont constantes pour les cristaux d'un même système cristallin. Les cristallographes les enregistrent avec précision à l'aide d'un goniomètre.

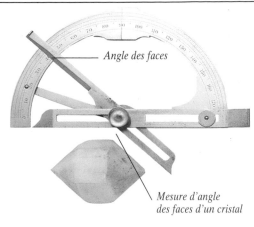

Angle des faces

Mesure d'angle des faces d'un cristal

SYSTÈME TRICLINIQUE

Les cristaux de ce système ne possèdent aucun axe de symétrie, comme on l'observe sur cette axinite du Brésil en forme de « coin ». Les feldspaths plagioclases (p. 43) sont également des minéraux tricliniques.

SYSTÈME CUBIQUE

La pyrite de fer (p. 59) donne des cristaux en forme de cubes. Mais ce système comprend aussi des octaèdres (huit faces) et des tétraèdres (pyramides à base triangulaire). Le grenat (p. 55) est également classé dans ce système.

SYSTÈME QUADRATIQUE

Les cristaux vert foncé de vésuvianite, comme cet échantillon de Sibérie, appartiennent au système quadratique (prisme droit à base carrée), tout comme le zircon (p. 54) et la wulfénite (p. 9).

SYSTÈME RHOMBOÉDRIQUE

Des cristaux secondaires plus petits se sont développés sur cette sidérite (carbonate naturel de fer). Le quartz (ci-contre), le corindon (p. 51), la tourmaline (p. 55) et la calcite (pp. 22 et 48) appartiennent au même système (le rhomboèdre est un parallélépipède dont les six faces sont des losanges égaux).

SYSTÈME ORTHORHOMBIQUE

Parmi les cristaux orthorhombiques (prisme droit dont la base est un losange), on peut citer la baryte (dont on tire le baryum pour des usages médicaux), l'olivine (p. 42) et la topaze (p. 54).

SYSTÈME MONOCLINIQUE

Ce système cristallin, le plus fréquent (prisme oblique à base losange), comprend le gypse dont on extrait le plâtre de Paris (p. 21), l'azurite (p. 33) et l'orthose (p. 49).

SYSTÈME HEXAGONAL

Le béryl (p. 50), famille qui comprend cette émeraude de Colombie, cristallise selon le système hexagonal (six faces) ; de même que l'apatite (p. 49) et la glace. Cela n'empêche pas chaque cristal de flocon de neige d'avoir l'air unique.

Cristaux de neige

MACLES PAR ACCOLEMENT

Le carbone de plomb cristallise dans un système orthorhombique (un peu plus haut à droite). Ce groupe de cristaux maclés a été trouvé en Namibie.

INTERPÉNÉTRATION DE MACLES

La staurotide (à gauche) est également un minéral orthorhombique. Dans ce spécimen brésilien en forme de croix, une macle semble en pénétrer une autre.

FORMATION DES MACLES

Les cristaux peuvent croître en groupes, à l'intérieur de cavités ou de veines. Parfois, il arrive que deux cristaux, ou plus, s'entrecroisent suivant des lois de symétrie rigoureuses. On parle alors de cristaux maclés.

Les cristaux maclés de gypse ont une forme bien particulière qui leur vaut l'appellation de gypse « fer de lance ».

UNE CROISSANCE GÉOMÉTRIQUE : LES CRISTAUX

On ne trouve jamais deux cristaux parfaitement identiques car les conditions dans lesquelles ils se développent ne sont jamais exactement les mêmes. Il leur faut de l'espace pour naître : dans un espace restreint, ils peuvent prendre des formes d'aspect insolite.

Forme proche du corail

Cristaux en aiguille

DES AIGUILLES RAYONNANTES

On parle de faciès aciculaire quand il s'agit de cristaux allongés, extrêmement fins, en forme d'aiguilles. Dans ce spécimen de scolécite, les cristaux aciculaires gris partent du centre.

ARAGONITE

Cette variété cristalline de carbone de calcium (ci-dessus) fut découverte dans la province espagnole d'Aragon en 1775. L'aragonite possède quelquefois une forme coralloïde. Ce terme permet de décrire les minéraux dont la forme s'apparente à celle des coraux.

UN AGRÉGAT SCINTILLANT

L'hématite (p. 33) peut prendre différents aspects (ci-dessous). Quand elle forme des cristaux éclatants et scintillants, on parle de faciès spéculaire (du latin « speculum », qui reflète la lumière).

DES « GRAPPES » MÉTALLIQUES

Certains cristaux de chalcopyrite (p. 59) croissent du centre vers l'extérieur. Ces agrégats ressemblent à des nodules arrondis. Cette structure est dite botryoïde, en forme de grappe de raisin.

DES COLONNES DE CRISTAL

Les cristaux prismatiques ont plusieurs faces parallèles à une même droite et sont plus longs dans une direction que dans les autres. Ce cristal de béryl (p. 50) a six face prismatiques rectangulaires et à chaque extrémité une face hexagonale plane.

DES TORSADES MOLLES

Les cristaux de trémolite, un des minéraux connu sous le nom d'amiante, sont mous et extrêmement flexibles (à gauche). Leur structure est dite fibreuse, car les cristaux ressemblent à des fibres.

DES COUCHES STRATIFIÉES

Certains minéraux (à gauche), dont le mica (p. 42), se présentent cn feuillets (p. 48). On parle alors d'aspect micacé ou foliacé (rappelant une feuille), ou, encore, lamellaire (en forme de plaque mince).

Cristaux de grenat

Micaschiste

DES CÔTÉS ÉGAUX

De nombreux minéraux forment des cristaux à faces à peu près égales dans toutes les dimensions. Ce grenat (p. 55), trouvé dans un micaschiste, en est un bel exemple.

UNE FORME DÉDOUBLÉE

La pyrite (p. 59) cristallise généralement sous forme de cube (six faces) ; elle peut aussi avoir douze faces et devenir un dodécaèdre pentagonal. Lorsque les conditions de croissance varient, les deux formes se développent parallèlement, donnant des séries de striures (p. 44) sur les faces cristallines.

Sommet d'un groupe cristallin de calcite rose étincelant

Base d'un groupe de cristaux de calcite grise

Faces cubiques fortement striées

Faces inclinées du dodécaèdre

LAC SALÉ – CHYPRE
Lorsque les lacs salés s'assèchent, une couche épaisse de sels solubles se dépose.

Faces étagées

DES LIGNES PARALLÈLES
Au cours de la croissance cristalline, des séries de cristaux d'une même famille peuvent se structurer dans une même direction. Cet agrégat de calcite (ci-dessus) présente des cristaux fuselés rose pâle et gris avec une orientation parallèle parfaite.

DES CRISTAUX EN ESCALIER
Ce spécimen de halite (p. 21) renferme une multitude de grains de sable (à droite). Il présente une croissance excessive dans deux directions privilégiées, donnant une pile de cristaux cubiques en escalier.

DES CRISTAUX SUR DEUX ÉTAGES
Les cristaux de chalcopyrite (p. 59) et de sphalérite (p. 57) ont une structure similaire. Ici ternis, les cristaux cuivrés de chalcopyrite ont grandi dans des directions parallèles sur des cristaux de sphalérite brunâtres et noirs (à droite).

UNE CROISSANCE IRRÉGULIÈRE
La halite (sel, p. 21) est un minéral cubique. Ses cristaux peuvent croître quelquefois plus vite sur l'arête des cubes qu'au centre des faces, formant des cristaux aux faces concaves « en escalier » (ci-dessus).

Cristaux de sphalérite

Cristaux de chalcopyrite

Cubes sableux

DU MÉTAL RAMIFIÉ
Lorsque l'intérieur d'une fissure n'est pas assez ouvert, les cuivres natifs (p. 56) et les autres minéraux croissent en couches fines. Ces formes ramifiées caractéristiques sont appelées dendrites (à droite).

Trace de chlorite

Dendrites de cuivre

UNE CROISSANCE « FANTÔME »
Les zones sombres à l'intérieur de ce cristal de quartz (ci-dessus) se sont formées quand une couche de chlorite enrobait le cristal à un stade précoce de sa croissance. A mesure que le cristal grandissait, il n'est plus resté que le « fantôme » de la chlorite piégée.

DES MINÉRAUX BIEN IDENTIFIÉS

La majorité des minéraux ont une structure cristalline et une composition chimique précises.

Celles-ci déterminent les propriétés physiques et chimiques de chaque minéral. Leur connaissance est très importante pour la science et l'industrie. L'étude des propriétés des minéraux telles que le clivage, la dureté et le poids spécifique permet aux géologues de connaître l'origine de la formation des minéraux. Ils peuvent aussi, grâce aux couleurs et aux habitus (aspect extérieur), identifier les minéraux.

STRUCTURE

Certains minéraux, chimiquement identiques, n'ont pas la même structure cristalline. Le carbone, par exemple, donne deux minéraux : le diamant et le graphite. Leurs propriétés différentes sont dues à l'arrangement des atomes de carbone.

Modèle de structure du graphite

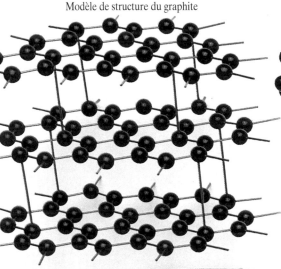

Modèle de structure du diamant

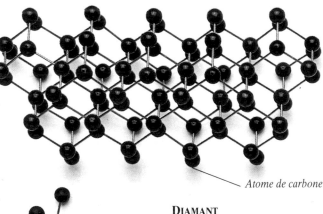

Atome de carbone

Un atome de carbone lié aux quatre autres

GRAPHITE

Le graphite, minéral à cristallisation hexagonale, se forme sous hautes températures. Chaque atome de carbone est fortement lié à trois autres, dans un même plan. Les plans sont organisés en couches largement espacées, et faiblement liées entre elles. Le graphite est un des minéraux les plus tendres (1-2 sur l'échelle de dureté de Mohs ; pages suivantes en haut), et ses faibles liaisons lui permettent de laisser des traces sur du papier, d'où son utilisation pour la fabrication des mines de crayon.

Graphite

Diamants

DIAMANT

Le diamant (p. 50) est un minéral à cristallisation cubique, formé sous fortes pressions. Chaque atome de carbone est fortement lié à quatre autres, présentant ainsi une structure rigide compacte. Le diamant est extrêmement dur (10 sur l'échelle de Mohs ; page suivante en haut). On utilise le diamant dans l'industrie, précisément à cause de sa dureté (outils coupants ou abrasifs).

CLIVAGE

Les cristaux se séparent parfois en suivant une cassure définissant des plans de clivage. Ceci est dû à la séparation de la structure strictement ordonnée des atomes dans les cristaux.

Feuillets fins

FEUILLETS

La stibine (ci-dessus) est un antimoine sulfuré qui présente un clivage parfait en feuillets, dû au faible lien structural entre les chaînes d'antimoine et les atomes de soufre.

CLIVAGE DU PLOMB

La galène, principal minerai de plomb (p. 57), a un clivage cubique caractéristique, dû à l'arrangement interne des atomes de plomb et de soufre. Une face de cristal brisée est constituée de petites figures de clivage cubique.

Figures de clivage

CASSURE NETTE

Les cristaux de baryte (p. 45) montrent un clivage entrecroisé parfait. Si ce cristal était cassé, il se fendrait le long de ces plans de clivage.

Lignes montrant les plans de clivage

Cristal plus petit se développant avec de plus gros cristaux

RHOMBOÈDRE PARFAIT

Le clivage rhomboédrique est si facile à faire qu'il est pratiquement impossible de briser un morceau de calcite selon une autre orientation.

CASSURE

Les cristaux de quartz ont une cassure vitreuse, conchoïdale (en forme de coquille) et qui n'obéit à aucun plan de clivage particulier.

Bords arrondis et conchoïdaux

DURETÉ

Ce sont les liens unissant les atomes entre eux qui déterminent la dureté d'un minéral. En 1812, le minéralogiste autrichien Friedrich Mohs a établi une échelle de dureté encore en usage aujourd'hui. Il sélectionna dix minéraux standard et les disposa de telle manière que chaque minéral sur l'échelle puisse rayer uniquement les précédents. Un ongle a une dureté de 2,5 et un canif de 5,5. Les minéraux de dureté 6 et au-dessus rayent le verre, alors que le verre raye l'apatite (phosphate de calcium) et les minéraux de dureté inférieure.

GRAPHIQUE DES DURETÉS RELATIVES

Les intervalles entre les différentes duretés des minéraux dans l'échelle de Mohs sont irréguliers. Le diamant est environ 140 000 fois plus dur que le talc (Rosival) et le corindon, seulement 1 000 fois.

1	2	3	4	5	6	7	8	9	10
Talc	Gypse	Calcite	Fluorite	Apatite	Orthose	Quartz	Topaze	Corindon	Diamant

MAGNÉTISME

Deux minéraux courants, la magnétite et la pyrrhotite (tous deux composés de fer), sont fortement magnétiques. Certains spécimens de magnétite, appelés aimants naturels, étaient utilisés comme boussole sous une forme primitive.

AIMANT NATUREL
La magnétite a un magnétisme permanent et attire la limaille de fer et les objets métalliques, les trombones par exemple.

Amas de limaille de fer

PROPRIÉTÉS OPTIQUES

Lorsque la lumière traverse les minéraux, divers effets optiques se produisent, dus à une interaction de la lumière sur la structure atomique.

DOUBLE IMAGE
La lumière passant à travers un rhomboèdre de calcite (ci-dessus) se divise en deux rayons, dédoublant l'image d'une tige de pâquerette.

AUTUNITE FLUORESCENTE
Vus sous lumière ultraviolette, certains minéraux sont fluorescents.

POIDS SPÉCIFIQUE

Cette propriété est liée à la composition chimique d'un minéral et à sa structure cristalline. Elle est définie par le rapport du poids d'une substance avec celui d'un même volume d'eau. La détermination du poids spécifique d'un minéral peut aider à son identification. La nature des atomes d'un minéral et leur disposition interne déterminent le poids spécifique. Ces trois échantillons de mica, de galène et de quartz (à droite et ci-dessous) sont tous de même poids. Mais comme les atomes de quartz et de galène sont lourds ou plus serrés que ceux du mica, les échantillons de quartz et de galène sont plus petits.

Mica

Quartz

Galène

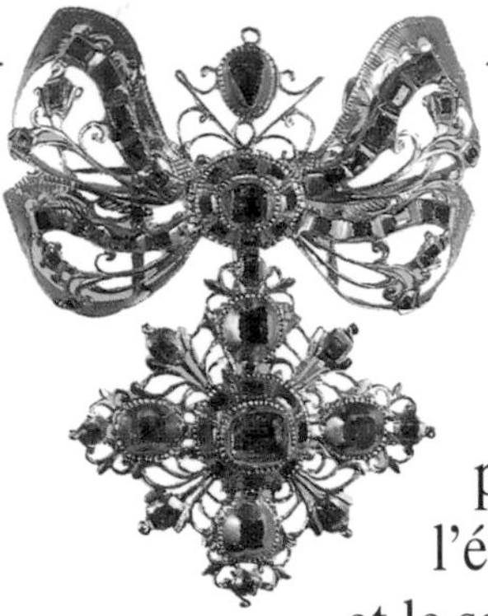

LES PIERRES PRÉCIEUSES

Les pierres précieuses sont des minéraux très rares d'une beauté exceptionnelle. Elles sont utilisées dans la fabrication des bijoux et autres objets précieux. Il existe quatre pierres précieuses : le diamant, l'émeraude, le rubis et le saphir. La lumière qui se réfléchit et se réfracte dans ces minéraux produit les couleurs intenses très recherchées du rubis, de l'émeraude ou du saphir, et donne au diamant son « éclat ». La couleur, la lumière et la brillance sont obtenues en taillant et en polissant les pierres avec soin (p. 60). Les gemmes sont évaluées en carats, soit 1/5 de gramme, qu'il ne faut pas confondre avec le karat employé pour établir la pureté de l'or (p. 59).

Mine de Kimberley, en Afrique du Sud

LE DIAMANT

C'est le plus dur des minéraux (p. 49). Il tire son nom du mot grec « adamas », signifiant « invincible ». Il est apprécié pour sa brillance caractéristique. La qualité du diamant est évaluée d'après sa couleur, sa transparence, sa taille et son poids en carats.

DES TRÉSORS DANS LES GRAVIERS
Avant 1870, on ne trouvait les diamants qu'à l'état de cristaux ou de fragments. A la fin du XIXe siècle, la découverte des graviers diamantifères puis de la kimberlite en Afrique du Sud a mis ce pays au premier rang des producteurs de diamants.

Cristal de diamant

Kimberlite

LE DIAMANT BRUT
La kimberlite (ci-dessus) est la principale roche recelant des diamants. Son nom vient de Kimberley, en Afrique du Sud, où on la trouve dans une cheminée volcanique dont les racines s'enfoncent de 150 à 300 km dans la croûte terrestre.

LE BÉRYL

Les plus importantes variétés de béryl, l'émeraude et l'aigue-marine, sont exploitées depuis des siècles. Les mines d'émeraudes égyptiennes datent de 1650 av. J.-C. On trouve de magnifiques cristaux hexagonaux de béryl dans les pegmatites et les schistes du Brésil, de Colombie et de bien d'autres pays.

Emeraude taillée

LES ÉMERAUDES
Les plus belles émeraudes, comme celles des joyaux de la couronne d'Angleterre, viennent de Colombie où elles sont associées, dans les filons, à la calcite et à la pyrite. Les émeraudes sans impuretés sont très rares, car la plupart des cristaux présentent de petites imperfections, comme des inclusions minérales. Elles peuvent dévaluer la beauté de la pierre, mais c'est leur présence qui en prouve l'origine.

BIJOUX ROMAINS EN BÉRYL
Ces boucles d'oreilles et ces colliers comportent des émeraudes taillées.

DES DIAMANTS DE TOUTES LES COULEURS
Le diamant est incolore, jaune, ou brun, en passant par le rose, le vert et le bleu. Le diamant rouge naturel est rarissime. Pour mettre en valeur les feux de cette pierre, les diamantaires utilisent depuis des siècles des modes de taille qui rehaussent l'éclat de la pierre brute (p. 60).

Aigue-marine bleu à bleu-vert

LE DIAMANT DE KOH-I-NOOR
Ce fabuleux diamant indien, ici porté par la reine Mary d'Angleterre, fut offert à la reine Victoria en 1850.

LES DIFFÉRENTES COLORATIONS DES BÉRYLS
Le béryl pur est incolore. Les couleurs sont dues à la présence d'impuretés, tel le manganèse qui est à l'origine du rose des morganites. Les cristaux d'aigues-marines (variété transparente de béryl) sont souvent chauffés pour intensifier leur couleur bleue.

Héliodore jaune

Héliodore verdâtre

Morganite rose

LE CORINDON

La beauté des rubis et des saphirs est due à l'intensité de leurs couleurs. Ces deux minéraux sont des variétés de corindon, incolore à l'état pur. De faibles traces de chrome donnent le rouge des rubis, celles de fer et de titane les bleus, les jaunes et les verts des saphirs.

UN SAPHIR ÉTOILÉ
Certaines pierres ont des inclusions de cristaux fins comme des aiguilles, orientés dans trois directions. La taille en cabochon révèle les rubis et les saphirs étoilés.

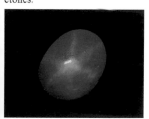

RUBIS
Connu sous le nom de rubis du roi Edward, ce cristal d'une exceptionnelle qualité pèse 162 carats. Il provient certainement des célèbres gisements de Mogok en Birmanie.

Rubis taillé

LES GISEMENTS DE PIERRES PRÉCIEUSES
L'Australie est un des pays les plus productifs de saphirs bleus et jaunes. Les mines de rubis se trouvent surtout en Birmanie, en Thaïlande et en Afrique centrale. Les placers riches en pierres précieuses du Sri Lanka fournissent depuis près de 2000 ans des saphirs bleus et roses exceptionnels.

SAPHIR
Tandis que les rubis forment plutôt des cristaux plats, les saphirs sont généralement cylindriques ou pyramidaux (ci-dessous). Des zones variant du bleu au jaune sont souvent visibles. Elles sont très importantes dans le choix du mode de taille des cristaux.

UNE GRANDE RÉSISTANCE
La plupart des saphirs et des rubis sont extraits de graviers riches en pierres gemmes. Ces minéraux précieux (ci-dessous) sont habituellement d'une plus grande dureté et résistent mieux aux altérations chimiques que les roches où ils sont inclus. Ils se concentrent dans le lit des rivières.

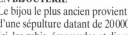

LES PIERRES PRÉCIEUSES EN BIJOUTERIE
Le bijou le plus ancien provient d'une sépulture datant de 20000 ans. Ici, les rubis, émeraudes et diamants ornent un pendentif en or et émail de la fin du XVIe siècle.

Saphir bleu

Saphir rose

Saphir translucide

Saphir incolore

Saphir jaune

L'OPALE

Le terme dérive du mot sanskrit « upala », signifiant « pierre précieuse ». Cependant, les opales qu'utilisaient les Romains en bijouterie ne venaient pas de l'Inde, mais de Tchécoslovaquie. Au XVIe siècle, on importait les opales d'Amérique centrale en Europe. Après 1870, l'Australie prend la première place sur le marché de l'opale.

GISEMENT D'OPALE EN AUSTRALIE
Outre son utilisation en joaillerie, l'opale est employée dans le fabrication de produits abrasifs et isolants.

Opales noires irisées

LES VARIATIONS DE COULEUR DANS L'OPALE
La splendeur des bleus, verts, jaunes et des rouges iridescents de la précieuse opale est due à la réflexion et à la diffusion de la lumière sur de minuscules sphères de silice dans le minéral. Cet effet est différent de celui de la couleur de fond qui peut être transparente dans l'opale d'eau, laiteuse dans l'opale blanche, grise ou noire dans une des formes les plus recherchées : l'opale noire.

Opale blanche

Opale blanche laiteuse

LES ORIGINES DE L'OPALE
Le plus souvent, l'opale se forme durant de longues périodes au sein des roches sédimentaires, comme cet échantillon d'Australie (ci-dessus). Au Mexique et en Tchécoslovaquie, l'opale s'est cristallisée dans des cavités gazeuses de roches volcaniques. On taille les opales en cabochon (p. 60). Les veines dans les roches sédimentaires sont généralement minces, aussi des tranches peuvent-elles être encore améliorées en ajoutant une troisième épaisseur de quartz translucide.

L'OPALE DE FEU
La plus belle des opales étincelantes vient du Mexique et de Turquie. Elle est généralement taillée en facettes. C'est l'intensité de la couleur et l'irisation qui en font la valeur.

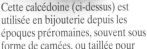

CALCÉDOINE

La cornaline, la chrysoprase, l'agate et l'onyx sont des variétés de calcédoine. La calcédoine pure, grise, translucide ou blanche est constituée de fines couches de minuscules cristaux de quartz. Quand elle est zonée, la calcédoine est appelée agate ; ses colorations sont dues à des impuretés.

Cabochon de chrysoprase

À NE PAS DÉDAIGNER : LES PIERRES DÉCORATIVES

La turquoise, l'agate, le lapis-lazuli et le jade sont des pierres ornementales composées de nombreux minéraux et cristaux. On les évalue surtout d'après leur couleur qui peut être régulièrement répartie, notamment dans une belle turquoise, ou nuancée comme celle d'un camée en agate. La dureté du jade et de l'agate permet des gravures et des tailles délicates ; mais la turquoise, plus tendre, ne peut être utilisée que pour des montures « protégées » comme les pendentifs ou pour les incrustations. Les qualités du lapis-lazuli sont variables. Un fin travail de gravure n'est possible qu'avec un matériau de grande qualité.

CHRYSOPRASE VERT POMME
Cette calcédoine (ci-dessus) est utilisée en bijouterie depuis les époques préromaines, souvent sous forme de camées, ou taillée pour orner des bagues et des pendentifs.

Veine de turquoise

LAPIS-LAZULI

Cette pierre est composée surtout de lazurite et de sodalite. Elle comporte aussi de petites quantités de calcite blanche nuancées de taches cuivrées de pyrite.

CORNALINE
Depuis toujours cette calcédoine orangée est utilisée en bijouterie pour les incrustations. Ici, elle a été sculptée en forme de couteau.

Le lapis-lazuli le plus beau est exploité dans le Badakhshan, en Afghanistan. Il se trouve dans de veines de marbre blanc.

TURQUOISE

Utilisée dès les débuts de la bijouterie, cette pierre est si universellement connue que le bleu turquoise est un terme accepté pour désigner un bleu-vert pâle. Sa coloration est due au cuivre et aux traces de fer. Plus il y a de fer, plus la turquoise sera verte (et moins elle aura de valeur).

BIJOU ANCIEN EN LAPIS-LAZULI
Pendant des siècles, le lapis a été sculpté sous forme de perles ou de figurines. Il est connu depuis plus de 6 000 ans. Son nom vient du mot perse « lazhward » signifiant « bleu ».

TURQUOISES TAILLÉES
La turquoise bleu ciel, la plus claire, se trouve à Nishapur, en Iran, où elle est exploitée depuis environ 3 000 ans. Un autre gisement ancien, connu des Aztèques, se trouve au sud-ouest des Etats-Unis. Il fournit la majorité des turquoises dans le monde.

Le lapis a été utilisé en Mésopotamie pour décorer ce coffret en bois, connu sous le nom de bannière d'Ur, vers 2 500 av. J.-C.

Cet objet pourrait être d'origine perse. Le serpent à deux têtes (en haut de la page) est un collier aztèque. Moctezuma l'envoya à Cortés au XVIᵉ siècle.

Le bleu éclatant de ce feuillet de lapis est dû à de petites quantités de soufre. Il a été imité en verre et même en lapis synthétique.

AMULETTE ÉGYPTIENNE
De nombreux objets magnifiques, dus à la dextérité des premiers graveurs égyptiens, ont été découverts dans les tombes des pharaons.

AGATE

Cette pierre zonée à grains fins se forme dans les cavités des roches volcaniques. Les meilleures qualités d'agates se trouvent au Brésil et en Uruguay.

AGATE POLIE

Les belles zonations présentes dans les tranches d'agate polie sont dues à des cristaux microscopiques groupés en bandes colorées. Elles proviennent de solutions chaudes, riches en silice, qui se sont redéposées après avoir filtrées à travers les cavités de roches poreuses.

Cristaux

Bande richement colorée

PORTRAIT GRAVÉ

Les camées en jaspe sanguin (héliotrope) étaient très prisés à l'époque romaine.

AGATE DENDRITIQUE

Le dessin de cette pierre de Moka, agate mousse ou agate dendritique, est mis en valeur par ce délicat cabochon.

JADE

Ce nom vient de l'espagnol « piedra de hijada », utilisé pour décrire la pierre verte sculptée par les Indiens d'Amérique centrale. Le mot jade désigne en fait deux substances différentes : la jadéite et la néphrite.

MASQUE DE TOUTANKHAMON

Le lapis, la cornaline, l'obsidienne et le quartz, ainsi que des verres colorés, sont incrustés dans l'or.

La jadéite peut être blanche, orange, marron ou, rarement, violette, mais la plus prisée est le jade impérial, une variété translucide d'un vert émeraude.

DAGUE MOGHOLE

La néphrite vert clair et grise était le matériau favori des artisans moghols qui fabriquaient des manches de dagues, des bols et des bijoux souvent incrustés de rubis ou d'autres pierres précieuses.

ART CHINOIS

La résistance du jade est connue des Chinois depuis plus de 2000 ans. Ils ont créé des sculptures délicates en néphrite avant que la jadéite soit importée de Birmanie, à partir de 1750.

NÉPHRITE

La néphrite est plus connue que la jadéite. Elle est généralement verte, grise ou blanc crème. De nombreux jades proviennent de gros blocs usés par l'eau, comme cet échantillon de néphrite de Nouvelle-Zélande (à gauche).

CES PIERRES MÉRITENT AUSSI LE DÉTOUR

En dehors des pierres précieuses comme le diamant, le rubis, le saphir et l'émeraude (pp. 50-51), on utilise d'autres minéraux pour compléter des parures. Ainsi le zircon et le grenat sont-ils très appréciés pour leur lustre et leur éclat, les minéraux de la famille de la tourmaline pour leurs nuances multicolores. Les pierres reproduites ici ne donnent qu'un aperçu de l'extrême variété de couleurs des pierres utilisées en joaillerie.

Topaze multicolore

Topaze bleue

Topaze jaune

LA TOPAZE
Présentes principalement dans les granites et les pegmatites, les topazes de qualité sont parfois très grandes, pesant même plusieurs kilos. Les pierres les plus massives sont incolores ou bleu pâle. Mais les plus recherchées et les plus chères sont de couleur jaune d'or (topaze impériale) ou rose. Toutes les deux proviennent du Brésil. Le Pakistan est le seul autre producteur de topaze rose. La topaze jaune est la plus fréquente. On trouve aussi des topazes multicolores dans le monde entier.

Spinelle bleu

Spinelle rose

Spinelle mauve

Spinelle taillé

BROCHE DE TOPAZE
La topaze brune fut communément utilisée au XVIIIe siècle et au XIXe siècle en joaillerie. Les pierres les plus rares, roses, sont produites artificiellement en chauffant la topaze jaune.

LE SPINELLE
Les spinelles rouges ressemblent aux rubis. Le terme de « rubis balais » qu'on employait autrefois vient sans doute de Balascia (aujourd'hui Badakhshan en Afghanistan). Les plus beaux spinelles rouges se trouvent en Birmanie et au Sri Lanka. Il existe aussi des spinelles roses, mauves, bleus et vert bleuâtre.

LE RUBIS DU PRINCE NOIR
Ce célèbre spinelle est la pierre centrale de la couronne impériale anglaise.

LE PÉRIDOT
Il s'agit d'une forme transparente de l'olivine (p. 43), minéral commun des laves basaltiques et de certaines roches magmatiques de profondeur (à gauche et ci-dessous). La proportion de fer dans le minéral détermine les nuances des couleurs. Les pierres les plus précieuses, vert doré et vert intense, renferment moins de fer que celles qui ont une teinte brunâtre. Le péridot, moins dur que le quartz, a un lustre huileux caractéristique. Il est employé en joaillerie depuis l'Antiquité. Le lieu d'extraction d'origine fut d'abord l'île de Zebirget dans la mer Rouge. Mais, c'est surtout en Birmanie, en Norvège et en Arizona (Etats-Unis) qu'on extrait maintenant les plus beaux péridots.

Zircon vermillon

Zircon rose

Zircon vert

Zircon jaune

Zircon bleu

LE ZIRCON
Le nom de cette pierre vient du mot arabe « zargoon » : vermillon ou doré. Il y a aussi des variétés vertes et brunes, qui ont été utilisées dans la bijouterie indienne pendant des siècles. Lorsque ces pierres translucides sont taillées et polies, elles offrent un lustre et un éclat assez semblable à celui du diamant, mais leur dureté est inférieure ; elles se taillent d'ailleurs aisément.

Péridots taillés

LE GRENAT

Cette famille de minéraux comprend l'almandin et le pyrope (rouge à rouge violacé), la spessartite (rouge orangé), le grossulaire (orange, vert et incolore) et le démantoïde (vert). Le grenat démantoïde, très recherché, a la couleur de l'émeraude et un éclat supérieur au diamant. Sa beauté et sa rareté justifient son prix élevé. Les cabochons, les pierres à facettes et les sculptures en grenat almandins et pyropes sont appréciés depuis plus de 2000 ans. Les meilleures spessartites et les grossulaires orange viennent du Brésil et du Sri Lanka, les plus beaux grenats démantoïdes, des montagnes de l'Oural.

BOUCLES D'OREILLES EN GRENAT
L'or pur de ces bijoux du XVIIIᵉ siècle est rehaussé de grenats taillés en rose (p. 60).

Pierre taillée en rose

Or

Almandin · Hessonite · Pyrope · Démantoïdes

Grenats grossulaires

Grenats démantoïdes

Diadème hellénistique du IIᵉ siècle. La partie reproduite ici est émaillée et incrustée de grenats.

Collier d'améthyste du XIXᵉ siècle

L'AMÉTHYSTE

Il s'agit d'une variété de quartz violet (p. 44). Incolore, translucide, le cristal de roche est la forme la plus pure du quartz et les couleurs de l'améthyste, de la citrine (quartz jaune) et du quartz rose sont provoquées par des impuretés de fer et de titane. Les plus beaux cristaux d'améthyste se forment dans des cavités gazeuses (géodes) de certaines roches volcaniques en Inde, en Uruguay et au Brésil.

Améthyste taillée

LA TOURMALINE

De toutes les pierres fines c'est celle qui offre la plus grande variété de couleurs ; certains cristaux isolés sont même multicolores. La tourmaline présente des phénomènes de bipolarité (électricité). La taille de ces pierres met en évidence les variations de couleur des cristaux. Les cristaux de tourmaline de belle qualité sont extraits des pegmatites. Certaines mines de Californie (Etats-Unis) sont célèbres pour leurs cristaux roses et verts. D'autres spécimens remarquables viennent des montagnes de l'Oural, du Brésil et de Madagascar.

Tourmaline rose · Tourmaline brune · Tourmaline gris-mauve · Tourmaline « melon d'eau »

Tourmaline bleue

Tourmaline vert jaunâtre · Tourmaline verte

Tourmaline aux couleurs nuancées

Reliquaire byzantin de 955 en or incrusté de pierres précieuses

TOUTES LES QUALITÉS : LES MÉTAUX

Les minerais sont les roches dont on extrait les métaux.
Après leur exploitation en mine, en carrière ou par dragage,
les minerais sont broyés et concentrés, puis fondus et raffinés
pour donner enfin du métal. 5000 ans av. J.-C., on utilisait le cuivre
pour fabriquer des perles et des épingles. Ce sont les Mésopotamiens
qui, les premiers, commencent à fondre et à couler industriellement.

Vers 3000 ans av. J.-C., on allie l'étain et le cuivre
pour produire un métal nouveau et plus dur : le bronze.
La production du fer se répand dès le VIe siècle av. J.-C. Le fer est plus
dur que le bronze et ses minerais sont beaucoup plus abondants.

Bauxite, minerai
d'aluminium (p. 13)

Mine de fer, 1580

L'ALUMINIUM
Léger et résistant à la corrosion, l'aluminium est
un bon conducteur électrique. Il est utilisé pour
les lignes électriques, aussi bien
que dans le bâtiment,
les travaux publics,
la construction
automobile, navale
et aéronautique
et les ustensiles
ménagers,
machines
à laver ou casseroles.

Feuille d'aluminium
pour la cuisine

Lingots
d'aluminium

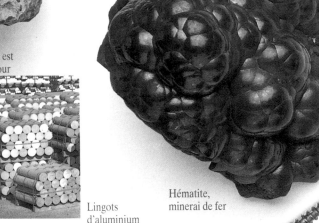

Hématite,
minerai de fer

LE FER
L'hématite, le plus important minerai
de fer, se présente en masses compactes
noires mamelonnées (à gauche). Son nom
dérive de la couleur de sa poudre.
Le fer est résistant et dur, mais facile
à travailler : il peut être fondu, forgé,
façonné, laminé. On l'utilise sous forme
d'acier ou de fonte ou encore dans
des alliages spéciaux aussi bien pour
des objets de la vie courante
que dans l'industrie
lourde.

Vis en acier

Rutile, un des
minerais du titane

*Chalcopyrite,
minerai de cuivre*

LE CUIVRE
La chalcopyrite cuivrée jaune
et la bornite bleu violacé sont
les minerais de cuivre les plus
répandus. On trouve très peu
de gisements à forte teneur
en cuivre. La majorité
des exploitations actuelles
proviennent de grands
gisements à faible teneur en
cuivre. Très bon conducteur,
il est utilisé dans l'industrie
électrique. Très malléable, il sert
pour la tuyauterie. Il peut
être allié avec du zinc
(laiton) ou de
l'étain (bronze).

*Bornite
minerai
de cuivre*

LE TITANE
Le rutile et l'ilménite sont
les deux principaux minerais
du titane. Généralement trouvés
dans des roches éruptives ou
métamorphiques, ces deux minéraux
se concentrent par érosion et forment
des dépôts avec d'autres minéraux
dont beaucoup sont extraits en même
temps comme sous-produits. A cause
de son poids léger et de sa grande
résistance, le titane est très utilisé
dans l'industrie aéronautique.

Avion de ligne,
partiellement construit
avec du titane

Joint de
tuyauterie en cuivre

Sphalérite,
minerai de zinc

Clou galvanisé

LE ZINC

La sphalérite ou blende,
nom que lui ont donné
les mineurs, est le plus
important minerai de zinc.
On en trouve des dépôts
dans les roches sédimentaires
ou volcaniques. Son nom
vient d'un terme grec
signifiant « trompeur »,
car il était souvent pris
pour d'autres minéraux.
Le zinc est utilisé
principalement pour
protéger l'acier de la rouille.
On recouvre ce dernier
d'une fine couche de zinc :
c'est la galvanisation.

Métallurgie du zinc
en Belgique, 1873

LE NICKEL

Ce métal inaltérable (à droite) provient
de gisements situés dans des intrusions
de gabbro (roche grenue – voir p. 17)
et de dépôts formés par l'érosion de
roches ignées basaltiques. De petites
quantités de nickélite se trouvent
aussi dans des gisements d'argent et
d'uranium où l'on exploite le nickel
comme sous-produit. Le nickel est
utilisé dans des alliages résistant
à la corrosion tels que l'acier
inoxydable. Certains alliages
à forte résistance à l'usure et aux
hautes températures sont employés
pour les moteurs d'avion à réaction.

Nickélite,
minerai de nickel

Batterie
en alliage de nickel

Cinabre,
minerai de mercure

LE MERCURE

Le cinabre, minerai de mercure (à gauche
et p. 33), est rare en concentrations
exploitables. On en trouve en Chine,
en Espagne et en Italie.
Il se forme près de roches
volcaniques récentes et de
sources chaudes. Le mercure
est très dense, son point
de fusion est faible et
il est liquide à température
ambiante. Il est très utilisé
en pharmacologie, dans les
pigments, les insecticides,
les instruments scientifiques
dentaires (amalgames).

Cassitérite cristallisée,
minerai d'étain

Thermomètre
à mercure

LE PLOMB

La galène, le principal minerai de plomb
(ci-dessous), est surtout exploitée
à partir de dépôts dans des calcaires,
comme ceux du sud des Etats-Unis.
Certains dépôts de plomb sont rentables
uniquement à cause de la grande quantité
d'argent qu'ils contiennent. Le plomb
est le métal usuel le plus dense
et le plus tendre, avec une forte
résistance à la corrosion,
mais il n'est pas très
solide. C'est le métal
des plombiers. Allié
à l'étain, il donne
d'excellentes soudures.

Soudure
au plomb

Galène,
minerai
de plomb

Mine d'étain de Cornouailles
en Angleterre, au XIXe siècle

L'ÉTAIN

La cassitérite, minerai d'étain, est dure, lourde
et résistance à l'abrasion. Les formes cristallines,
comme ce spécimen bolivien, sont relativement
rares. On utilise l'étain de nos jours à cause
de son point de fusion faible, de sa résistance
à la corrosion, sa malléabilité, son absence
de toxicité et sa haute conductibilité
électrique. Il est employé pour la soudure et
sous forme de feuilles, bien que l'aluminium
le détrône aujourd'hui pour la fabrication
des boîtes de conserve. L'étain courant
est, en fait, un alliage de 75 % d'étain et de 25 %
de plomb, c'est ce qu'on appelle le fer-blanc.

Boîte
en fer-blanc

TOUS LES RÊVES : LES MÉTAUX PRÉCIEUX

L'or et l'argent comptent parmi les tout premiers métaux que l'on ait découverts. Leur rareté et leur beauté naturelle en font des métaux précieux employés pour couler des lingots, frapper des pièces de monnaie et créer des bijoux. Le platine, importé de Colombie au milieu du XVIIe siècle, ne fut véritablement utilisé en bijouterie et dans la fabrication des monnaies qu'à partir du XXe siècle.

L'ARGENT

Moins précieux que l'or ou le platine, l'argent a pour principal inconvénient de se ternir facilement. On utilise l'argent massif ou plaqué en bijouterie et en ornementation. Ce métal est également employé dans l'industrie photographique.

LE PLATINE

Plus précieux que l'or, ce métal précieux est principalement utilisé industriellement pour le raffinage des huiles et la diminution de la pollution causée par les gaz résiduels.

BROYEURS DE MINERAIS MEXICAINS
Les vieilles méthodes pour broyer le minerai d'argent étaient primitives mais efficaces.

CRISTAL DE SPERRYLITE
Le platine est présent dans beaucoup de minéraux, dont la sperrylite. Ce cristal bien formé, trouvé dans le Transvaal (Afrique du Sud) vers 1924, est le plus grand de cette espèce connu au monde.

GRAINS DE PLATINE
La plupart des minéraux de platine se présentent en très petits grains dans les dépôts de nickel. Ils sont aussi communément récoltés dans les mines d'or. Les grains reproduits ici (à gauche) proviennent de Rio Pinto, en Colombie.

FILS D'ARGENT
Ce métal est souvent un sous-produit de l'exploitation des mines de cuivre et des gisements de zinc et de plomb. Au siècle dernier, l'argent était exploité pour lui-même sous forme de métal natif (ci-dessus). Les filons d'argent des mines de cuivre du Kongsberg, en Norvège, sont particulièrement célèbres.

BROCHE CELTIQUE
Les Celtes ont créé des pièces de bijoux très complexes en argent.

PÉPITE DE PLATINE
La découverte de grandes pépites de platine est très rare. Celle-ci vient de Nijni Taguil (Oural). Elle pèse 1,1 kg. Elle est impressionnante, mais elle ne détient pas le record qui est de 9,7 kg.

PIÈCES DE MONNAIE RUSSES
Le platine a été utilisé pour la fabrication de pièces dans différents pays. Sous le règne de Nicolas Ier de Russie, des monnaies en platine ont été frappées. Elles valaient trois roubles.

RAMEAUX D'ARGENT
Parfois, comme dans ce spécimen de Copiapo (Chili), l'argent apparaît sous forme de fines ramifications « dendritiques », ou arborisation (ci-dessus et p. 46).

Cette cloche d'argent contenant un des rouleaux de la Torah fut fabriquée en Italie, au début du XVIIIe siècle, et était utilisée au cours des cérémonies religieuses juives.

L'OR

De nos jours, le métal, de couleur jaune, est utilisé pour la bijouterie, la dentisterie et l'industrie électronique. Mais la moitié des stocks d'or qui sont extraits de la terre y retournent…, enfermés dans les chambres fortes des banques.

Chalcopyrite cristallisée

MINE D'AFRIQUE DU SUD
En 1900, les méthodes traditionnelles d'exploitation de l'or exigeaient un travail intensif.

LA RUÉE VERS L'OR
Au XIXe siècle, les découvertes simultanées de l'or en Californie (Etats-Unis) et en Australie ont enflammé l'imagination d'une nuée de prospecteurs qui orpaillèrent avec une folle frénésie.

L'OR DES FOUS
Les amateurs confondent parfois l'or avec la chalcopyrite, principal minerai de cuivre, et la pyrite, du fait de leur couleur cuivrée, d'où le terme d'or des fous. La chalcopyrite est jaune verdâtre mais, surtout, plus dure et plus cassante que l'or fin (ci-contre et ci-dessus à droite).

Chalcopyrite massive

FILON D'OR
Le métal précieux peut être découvert en filons concentrés dans le quartz. L'or est alors extrait par broyage du minerai pour obtenir un concentré, puis il est fondu.

LA PYRITE
Beaucoup plus dure que l'or, la pyrite cristallise sous forme de cristaux cubiques. A l'état brut, sa surface rappelle plutôt l'or blanc, ou électrum (alliage d'or et d'argent), que l'or pur.

GRAINS D'OR
Le métal se trouve également sous forme de grains ronds (pépites) dans des dépôts de sable et de graviers. Ces sédiments sont lavés ou dragués à grande échelle. Les particules d'or sont séparées avant d'être fondues.

Collier de Toutankhamon

Pyrite cristallisée

Pyrite massive

L'HABILITÉ ÉGYPTIENNE
Les anciens Egyptiens furent parmi les premières civilisations à maîtriser les techniques pour travailler l'or. Ils utilisaient alors de l'or pur martelé. Aujourd'hui, le cuivre et l'argent sont associés à l'or pour obtenir une plus grande dureté de l'alliage. La teneur en or se mesure en karats (kt).

TAILLE ET POLISSAGE : UN ART

La plus ancienne méthode pour travailler les roches consistait à les frotter l'une contre l'autre afin d'obtenir une surface lisse qui pouvait ensuite être gravée. Par la suite, les artisans professionnels (diamantaires) acquirent une technique plus élaborée pour la taille des pierres précieuses et obtinrent les meilleurs « effets » avec un minimum de pertes. Depuis plusieurs années les amateurs peuvent utiliser, pour certains minéraux, le « polissage au tonneau » obtenu par le frottement des pierres les unes contre les autres à l'intérieur d'un cylindre rotatif.

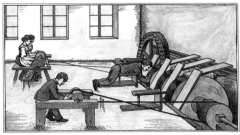

Agates abrasées et polies dans un atelier allemand en 1800

PIERRES TAILLÉES

De nombreuses pierres précieuses semblent ternes lors de leur extraction (p. 50). Pour leur donner tout leur éclat, le lapidaire doit les tailler et les polir afin de mettre en valeur leurs propriétés naturelles, tout en veillant à la position de leurs défauts éventuels.

LA TAILLE LA PLUS DIFFICILE

Les diamants bruts sont marqués à l'encre de Chine avant d'être taillés. Les premières pierres précieuses taillées avaient des formes relativement simples, dites tailles anciennes et en cabochon. Plus tard, les lapidaires expérimentèrent des tailles plus complexes : à facettes, comme cette taille à degrés pour les pierres colorées, ou le brillantage pour le diamant.

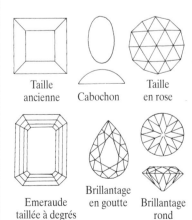

Taille ancienne

Cabochon

Taille en rose

Emeraude taillée à degrés et à pans coupés

Brillantage en goutte

Brillantage rond

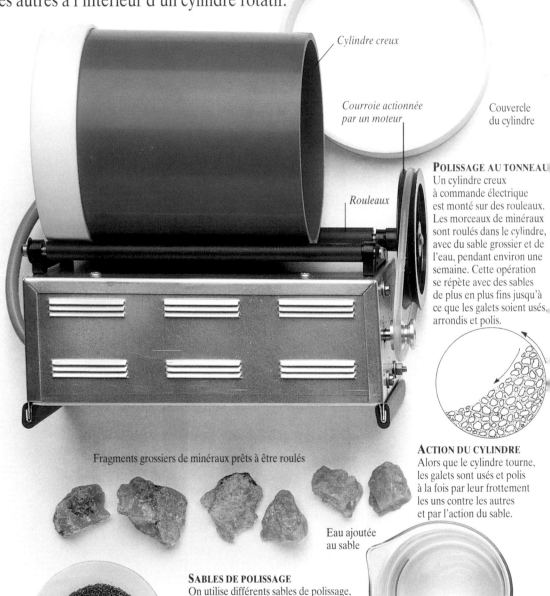

Cylindre creux

Courroie actionnée par un moteur

Couvercle du cylindre

Rouleaux

POLISSAGE AU TONNEAU

Un cylindre creux à commande électrique est monté sur des rouleaux. Les morceaux de minéraux sont roulés dans le cylindre, avec du sable grossier et de l'eau, pendant environ une semaine. Cette opération se répète avec des sables de plus en plus fins jusqu'à ce que les galets soient usés, arrondis et polis.

ACTION DU CYLINDRE

Alors que le cylindre tourne, les galets sont usés et polis à la fois par leur frottement les uns contre les autres et par l'action du sable.

Fragments grossiers de minéraux prêts à être roulés

Eau ajoutée au sable

SABLES DE POLISSAGE

On utilise différents sables de polissage, du plus grossier au moins grossier, puis une poudre à polir.

Sable de polissage grossier utilisé au cours de la première opération

Sable de polissage fin utilisé au cours de la seconde opération

Oxyde de cérium, poudre très fine utilisée à la dernière étape du polissage pour rendre les galets lisses et étincelants

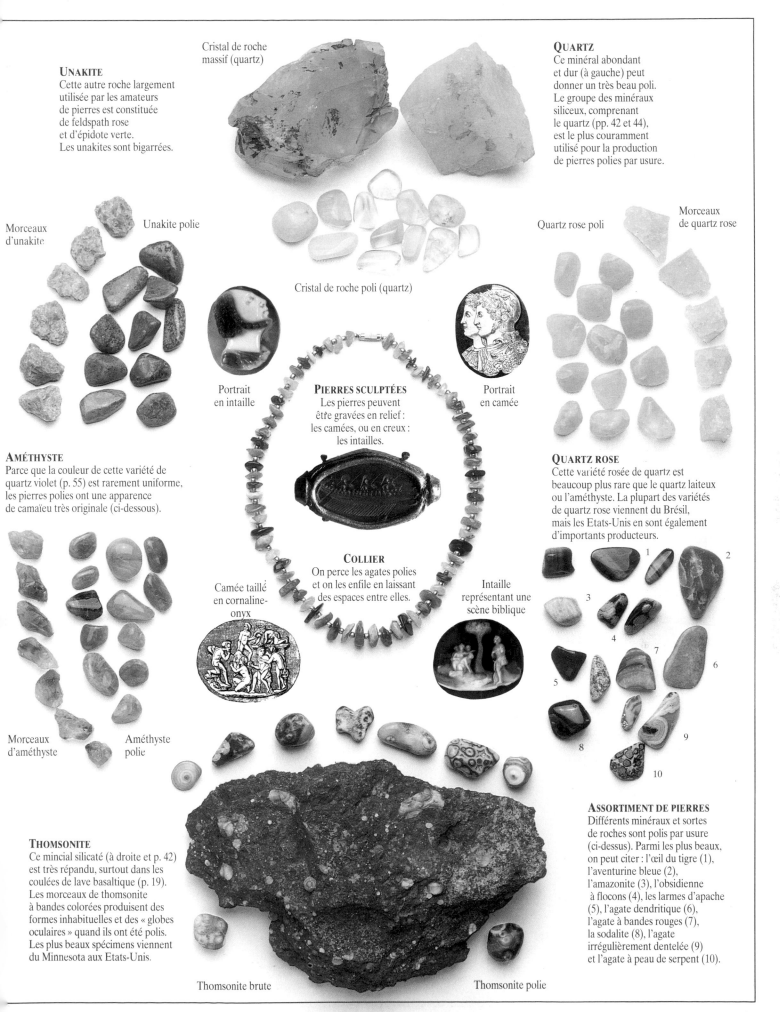

UNAKITE
Cette autre roche largement utilisée par les amateurs de pierres est constituée de feldspath rose et d'épidote verte. Les unakites sont bigarrées.

Cristal de roche massif (quartz)

QUARTZ
Ce minéral abondant et dur (à gauche) peut donner un très beau poli. Le groupe des minéraux siliceux, comprenant le quartz (pp. 42 et 44), est le plus couramment utilisé pour la production de pierres polies par usure.

Morceaux d'unakite

Unakite polie

Cristal de roche poli (quartz)

Quartz rose poli

Morceaux de quartz rose

Portrait en intaille

PIERRES SCULPTÉES
Les pierres peuvent être gravées en relief : les camées, ou en creux : les intailles.

Portrait en camée

AMÉTHYSTE
Parce que la couleur de cette variété de quartz violet (p. 55) est rarement uniforme, les pierres polies ont une apparence de camaïeu très originale (ci-dessous).

QUARTZ ROSE
Cette variété rosée de quartz est beaucoup plus rare que le quartz laiteux ou l'améthyste. La plupart des variétés de quartz rose viennent du Brésil, mais les Etats-Unis en sont également d'importants producteurs.

COLLIER
On perce les agates polies et on les enfile en laissant des espaces entre elles.

Camée taillé en cornaline-onyx

Intaille représentant une scène biblique

Morceaux d'améthyste

Améthyste polie

THOMSONITE
Ce mincial silicaté (à droite et p. 42) est très répandu, surtout dans les coulées de lave basaltique (p. 19). Les morceaux de thomsonite à bandes colorées produisent des formes inhabituelles et des « globes oculaires » quand ils ont été polis. Les plus beaux spécimens viennent du Minnesota aux Etats-Unis.

ASSORTIMENT DE PIERRES
Différents minéraux et sortes de roches sont polis par usure (ci-dessus). Parmi les plus beaux, on peut citer : l'œil du tigre (1), l'aventurine bleue (2), l'amazonite (3), l'obsidienne à flocons (4), les larmes d'apache (5), l'agate dendritique (6), l'agate à bandes rouges (7), la sodalite (8), l'agate irrégulièrement dentelée (9) et l'agate à peau de serpent (10).

Thomsonite brute

Thomsonite polie

UN PASSE-TEMPS MINUTIEUX : LA RECHERCHE DES MINÉRAUX

Rechercher des spécimens de roches et de minéraux, puis les classer, constitue un agréable passe-temps dont l'origine remonte au XIXᵉ siècle : à cette époque, des géologues amateurs ont réuni des collections dont certaines restent impressionnantes.

LA PRÉPARATION

Toute sortie dans le but de rechercher des pierres se prépare en consultant les cartes géologiques et les guides d'une région. Pour les propriétés privées, demandez à l'avance les autorisations de prospection. Si vous partez seul, signalez votre itinéraire et votre destination. Une boussole, pour s'orienter sur le terrain, et un carnet de route, pour prendre des notes précises, sont indispensables.

Carte

Boussole

Guide

LES OUTILS

L'équipement de base se compose d'un marteau de géologue (entre 0,5 et 1 kg) et d'un choix de burins. Ces marteaux ont un bout carré et une extrémité en biseau pour faire éclater la roche. Ils sont en acier trempé et conçus spécialement pour ce type de travail. Les autres marteaux ne peuvent servir ici car ils risquent de se briser.

Massette à utiliser avec les burins

Marteau de géologue (0,5 kg)

Marteau de géologue pour travaux de précision

Burin à extrémité large

Burin tranchant et pointu

Au XIXᵉ siècle, les géologues ont mis au point des techniques de prospection et fait les premiers relevés cartographiques.

Gants résistants

Casque de sécurité

LES VÊTEMENTS

Une grande prudence est de règle quand on brise les roches afin d'éviter toute blessure provoquée par les fragments de roche ou de métal qui volent en éclats. Il est donc bon de porter des lunettes protectrices, un casque de sécurité, des gants, des chaussures renforcées ou des bottes, ainsi que des vêtements solides et imperméables.

Lunettes protectrices

ATTENTION !

Quand vous partez en quête de minéraux, vous devez suivre rigoureusement certaines consignes : respecter les règlements locaux, demander l'autorisation de pénétrer sur les propriétés privées, éviter, bien sûr, de détruire la faune et la flore, porter des vêtements appropriés (page de gauche), utiliser un équipement adapté, et enfin, éviter de mettre les autres en danger.

Carnet

Crayon

Stylo

L'IDENTIFICATION

Les spécimens peuvent être examinés sur le terrain avec une loupe qui grossit dix fois. En laboratoire, le microscope binoculaire révélera les détails les plus fins.

Spatules pour travaux précis, notamment pour dégager la gangue rocheuse autour des fossiles

Scalpel pour préparation minutieuse

Couteau à palette servant à extraire les petits cristaux des fossiles ou des minéraux

LES OUTILS DE PRÉCISION

L'excédent de gangue peut être enlevé en lavant les spécimens et en les frottant doucement avec une brosse douce. Une roche tendre et friable comme l'argile peut être creusée avec une truelle, puis tamisée pour récolter des petits cristaux et des fragments de roche.

Crible pour le tri des matériaux

Truelle pour roches molles

Pinceaux pour nettoyer les spécimens

L'ENREGISTREMENT

Le lieu exact et les détails de la découverte d'un spécimen doivent être inscrits dans un carnet de route. Chaque spécimen sera numéroté avec précision au stylo ou au moyen de papier adhésif. Une photo ou un croquis de l'échantillon, avant l'extraction, fournira une référence durable du site.

Les photos sont utiles pour repérer le site ou le lieu de la découverte. Ne pas oublier de placer un repère, pour donner l'échelle, sur la photo.

Papier journal

Sac en mousseline

LE TRANSPORT

Chaque spécimen doit être enveloppé séparément et protégé avec du papier journal ou des chiffons afin d'éviter qu'il ne casse ou ne soit rayé. Les groupes de cristaux sont généralement très fragiles, ils doivent être transportés dans des tubes ou des boîtes et des sacs spéciaux.

Tube en plastique

Plastique de protection

LE RANGEMENT

Pour éviter tout dommage, les pièces doivent être rangées séparément sur des plateaux ou dans des boîtes, dans un meuble à tiroirs peu profonds. Certains minéraux se détériorent rapidement sous l'effet de l'humidité, de la chaleur ou de la lumière. Les conditions de conservation de chaque spécimen doivent être étudiées soigneusement quand on organise une collection.

Sac de plastique étanche

Boîtes en carton pour le rangement

Etiquettes

63

LE SAVIEZ-VOUS ?

DES INFORMATIONS PASSIONNANTES

Lorsque les astronautes revinrent de la Lune avec des échantillons de roches, les chercheurs découvrirent que la roche la plus commune sur le satellite de notre planète était un type de basalte également présent sur Terre.

Araignée conservée dans de l'ambre

L'ambre s'est formé à partir de gouttes de résine ayant suinté des arbres il y a des millions d'années et qui s'est ensuite durcie. Il emprisonne parfois des insectes préhistoriques pris au piège dans ce liquide collant.

Plus une galerie s'enfonce loin sous la Terre, plus il y fait chaud. Ainsi, les mines d'or les plus profondes d'Afrique du Sud doivent être refroidies artificiellcment afin que les hommes puissent y travailler.

Devil's Tower, dans le Wyoming, États-Unis

Devil's Tower, aux États-Unis, est un énorme pilier rocheux constitué de lave durcie dans la cheminée d'un ancien volcan. La roche plus tendre du volcan lui-même a été érodée au fil du temps.

Plus de 75 % de la croûte terrestre est composée de silicates, minéraux à base de silicium et d'oxygène combinés à certains métaux.

Des météorites venant sans doute de Mars ont été découverts dans l'Antarctique, dont certains semblent contenir des bactéries fossiles.

Sur certaines côtes de roches tendres, la mer érode des mètres de littoral tous les ans. Des villages entiers, tel celui de Dunwich, dans le Suffolk, en Grande-Bretagne, ont disparu dans les eaux à mesure que les falaises sur lesquelles ils étaient bâtis s'affaissaient.

La glace a le pouvoir de briser la roche. Ainsi, l'eau qui s'infiltre dans les fissures et se dilate en gelant parvient à faire éclater le granite, l'une des roches les plus dures. Sous l'effet de son poids et de ses mouvements combinés, un glacier emporte des pans entiers de montagnes.

Dans la Rome antique, les femmes utilisaient l'arsenic comme cosmétique pour blanchir leur peau, ignorant que c'était un poison.

Le graphite, un minéral dont on fabrique les mines de crayons, est aussi utilisé dans les centrales nucléaires. Sous forme dc barres que l'on plonge dans le cœur du réacteur, il permet de contrôler la réaction en chaîne.

L'obsidienne est une roche volcanique noire si brillante que les peuples antiques l'utilisaient comme miroirs. Lorsqu'elle est cassée, elle forme des arêtes si vives que l'on s'en servait aussi pour fabriquer des outils coupants.

Obsidienne

L'évolution des roches, sous l'effet de l'érosion et des forces venant des profondeurs de la Terre, est permanente mais extrêmement lente. L'eau et le vent ont mis des millions d'années pour creuser cette arche de grès (ci-contre).

Arche rocheuse dans l'Utah, États-Unis

Fossile d'*Archaeopteryx*

En 1861, en brisant un bloc de calcaire, un carrier de Bavière, en Allemagne, découvrit le fossile d'une créature ressemblant à un oiseau qui vivait il y a 150 millions d'années. Cet animal, que les scientifiques appelèrent *Archaeopteryx*, pourrait être le lien entre les reptiles préhistoriques et les oiseaux actuels.

Les minéraux n'existent pas seulement dans les roches. On en trouve aussi dans les os !

Quelles sont les roches les plus communes dans la croûte terrestre ?

Ce sont les roches volcaniques, telles que le basalte. Le basalte se forme à partir des laves les plus fluides lorsqu'elles refroidissent et durcissent après avoir jailli par des volcans ou des fissures. Il constitue le plancher des océans, qui recouvre 68 % de la surface terrestre.

Comment pouvons-nous savoir que les dinosaures ont existé ?

On a retrouvé des ossements et des dents de dinosaures fossilisés dans les roches du monde entier. En certains endroits, ce sont même leurs empreintes, leurs œufs et leurs excréments qui ont été préservés. Ce sont essentiellement les fossiles qui nous renseignent sur les animaux et les plantes qui ont vécu sur Terre dans le passé.

Empreintes fossilisées de dinosaures

Dragon chinois en néphrite

Qu'est-ce que le jade et pourquoi a-t-il plusieurs noms ?

On croyait jadis qu'il n'existait qu'une seule pierre verte appelée jade. En 1863, on découvrit que ce nom désignait en fait deux minéraux appelés aujourd'hui jadéite et néphrite.

Pourquoi les galets sur les plages présentent-ils tant de couleurs distinctes ?

Parce qu'ils sont constitués de nombreuses roches différentes. Leur couleur trahit le type de minéraux qu'ils contiennent. Arrachés à la terre en des points dont l'histoire géologique diffère, ils ont été emportés et déposés au hasard par la mer.

Les Badlands, dans l'Utah, États-Unis

Pourquoi le sable de certaines plages est-il noir ?

Le sable est constitué de roches et de galets qui ont été réduits à l'état de grains fins par l'érosion. En certains endroits, comme aux îles Canaries, il est noir parce que composé de cendres volcaniques, riches en minéraux sombres.

Si la pierre ponce est une roche, comment se fait-il qu'elle puisse flotter sur l'eau ?

La pierre ponce est une sorte d'écume de lave solidifiée. Elle renferme une multitude de minuscules bulles d'air qui la rendent assez légère pour flotter.

Qu'est-ce qui a formé les bandes sur les roches de l'Utah, aux États-Unis ?

Les roches de ce désert sont constituées de couches de grès empilées. L'érosion a usé plus vite les couches les plus tendres, créant des bandes dans le paysage.

Quelles sont les roches les plus anciennes connues sur Terre ?

Les roches les plus anciennes sont venues de l'espace sous la forme de météorites. Celle que l'on voit ci-contre est âgée d'environ 4 600 millions d'années. Les premières roches connues qui se formèrent sur Terre ne se développèrent que plus tard, il y a environ 4 200 millions d'années.

Chondrite

Comment les nouvelles roches se forment-elles ?

Soumises aux effets de l'érosion, de la chaleur et de la pression, des roches nouvelles se forment en permanence à la surface de la Terre, dans les profondeurs de sa croûte et sous les eaux. Certaines sont faites de couches de sédiments compactés, d'autres résultent de l'activité volcanique sous les océans ou sur la terre ferme.

De quoi est constituée une rose des sables et comment se forme-t-elle ?

Une rose des sables est constituée d'un minéral appelé gypse. Elle se forme dans un désert lorsque l'eau s'évapore rapidement. Les impuretés qu'elle contient restent sur place et se cristallisent, prenant la forme de pétales.

Rose des sables

QUELQUES RECORDS EN LA MATIÈRE

LE MÉTAL LE PLUS PRÉCIEUX
Le métal le plus précieux est le platine, qui a plus de valeur que l'or.

LA PLUS GROSSE PÉPITE D'OR
La plus grosse pépite d'or jamais trouvée à ce jour pesait 70,9 kg ; aussi lourde qu'un homme !

L'OBJET RELIGIEUX AYANT LE PLUS DE VALEUR
La statue en or du Bouddha, à Bangkok, est l'objet religieux le plus précieux au monde. Elle est faite de 5,5 t d'or massif.

LE MINÉRAL LE PLUS DUR
Le diamant est le minéral le plus dur qui existe. Il ne peut être rayé par aucun autre minéral.

LA PLUS GRANDE STALAGMITE
La plus grande stalagmite connue se trouve en Slovaquie à Krasnohorska. Elle atteint 31,5 m de haut.

LE PLUS GROS ROCHER
Uluru, ou Ayer's Rock, en Australie, est la plus grosse masse rocheuse d'un seul bloc connue au monde. Il mesure plus de 3,6 km de long.

Outils de géologue

ROCHE OU MINÉRAL

Les géologues classifient les roches en fonction de leur mode de formation. Il en existe trois grands groupes : les roches ignées, les roches métamorphiques et les roches sédimentaires. Le tableau ci-dessous décrit les principales caractéristiques de chacun des trois groupes.

L'IDENTIFICATION DES ROCHES

LES ROCHES IGNÉES, OU MAGMATIQUES

Les roches ignées sont, à l'origine, des roches chaudes en fusion venues des profondeurs de la Terre, qui se sont solidifiées en refroidissant. Comme les roches métamorphiques, elles sont composées de cristaux de différents minéraux. Les cristaux formés sont d'autant plus gros que le refroidissement et la solidification ont été lents.

LES ROCHES MÉTAMORPHIQUES

Les roches métamorphiques, d'une nature complètement nouvelle, se forment lorsque des roches ignées ou sédimentaires subissent une complète transformation sous l'effet de la chaleur et de la pression dans la croûte terrestre. La taille des cristaux qui les composent généralement reflète parfois le degré de température et de pression qu'elles ont subi.

LES ROCHES SÉDIMENTAIRES

Les roches sédimentaires sont généralement constituées de particules arrachées à d'autres roches par l'érosion. Au cours du temps, ces particules, dont la taille varie de celle d'un grain de sable à celle d'un rocher, se sont déposées en couches (ou strates) devenues de la roche. C'est dans les roches sédimentaires que l'on trouve le plus souvent les fossiles.

Biotite (groupe des micas) et feldspath

Granite

Aspect ondulé, plissé

Schiste plissé

Particules grossières cimentées

Conglomérat

Pyroxène et feldspath

Gabbro

Gros cristaux formés au cours d'un lent refroidissement

Aspect folié

Fine granulation

Ardoise

Grains de quartz

La couleur orange est due à l'oxyde de fer.

Grès

Grains fins et sombres formés à partir de lave volcanique

Basalte

Aspect folié constitué de bandes claires et foncées

Fragments de roche anguleux cimentés par un matériau fin sableux

Brèche

Texture vitreuse à grains très fins

Obsidienne

Gneiss

Texture tendre, pulvérulente, formée par des milliards de squelettes de micro-organismes

Craie

L'IDENTIFICATION DES MINÉRAUX

Il n'existe pas deux minéraux semblables. Beaucoup ont des couleurs ou des formes particulières qui facilitent leur identification. Certains forment de gros cristaux, d'autres des masses mamelonnées ou des croûtes à la surface des roches. Voici des échantillons de minéraux et leurs caractères distinctifs.

Cristaux de béryl prismatiques

BÉRYL

Le béryl se forme en profondeur dans la croûte terrestre et se rencontre essentiellement dans les granites et les pegmatites. Le béryl transparent est dur et rare, ce qui en fait une pierre précieuse de valeur. Il porte différents noms selon sa couleur. L'émeraude verte et l'aigue-marine bleu-vert sont les plus connues.

Lustre vitreux

QUARTZ

L'un des minéraux les plus communs, le quartz se rencontre dans de nombreuses roches et souvent dans les veines aurifères. Il forme des cristaux à six côtés, à sommet pyramidal. Clair et transparent, le quartz est souvent surnommé cristal de roche. Il est parfois confondu avec le diamant.

OR

L'or est un métal et un élément natif rare. Il se rencontre généralement sous la forme de granules jaunes dans les roches et se fixe souvent sur le quartz au cours du refroidissement des fluides. L'or forme occasionnellement de grosses pépites cristallines aux arêtes émoussées.

Cristaux à éclat perlé

Cristaux de saphir associés à de la tourmaline

CORINDON

Si la forme pure du corindon est incolore, on le rencontre aussi sous de nombreuses variétés colorées. Rubis et saphir en sont deux formes rares, rencontrées le plus souvent dans les graviers des rivières. Le corindon est extrêmement dur et constitue des cristaux de différentes formes.

Masse de cristaux d'albite tabulaires

ALBITE

Variété importante de feldspath, l'albite est un minéral fréquemment rencontré dans les granites, les schistes et les grès. Plus souvent en grains qu'en cristaux bien formés, elle est blanche ou blanc cassé.

BARYTINE EN CRÊTE DE COQ

Malgré sa forme cristalline, la barytine est plus lourde que certains minéraux métalliques. Elle se forme dans de nombreux environnements, des sources chaudes volcaniques aux veines minérales. La forme en crête de coq est composée de masses arrondies sur des cristaux tendres en plateaux.

Cristaux jaune vif à sommet plat

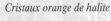

Cristaux orange de halite

CALCITE

La calcite forme les roches calcaires et se développe également dans l'eau de mer, les os et les coquilles de mollusques. C'est le minéral qui constitue les stalactites et les stalagmites. Elle peut former des cristaux mais être aussi granuleuse ou fibreuse et massive.

SOUFRE

Élément natif, le soufre cristallise autour des sources chaudes et des cratères volcaniques. Il forme parfois une croûte pulvérulente faite de tout petits cristaux, mais les gros cristaux sont aussi communs. Les cristaux purs sont toujours jaunes et assez tendres pour être coupés au couteau.

HALITE

La halite appartient au groupe des évaporites qui se forment par évaporation d'eaux salées. Elle apparaît autour de mers et de lacs sous les climats secs, plus connue sous le nom de sel de roche. On la trouve généralement en masses mais elle forme aussi des cristaux simples cubiques.

LA COLLECTION MINÉRALOGIQUE

Les plages de galets sont de bons endroits pour chercher des spécimens. Pour commencer, recherchez-en de différentes couleurs et voyez combien de types différents vous pouvez trouver. D'autres lieux intéressants sont les bords des lacs et des rivières, mais songez toujours à votre sécurité avant tout.

POUR EN SAVOIR PLUS

Les roches sont présentes tout autour de nous et la meilleure façon d'apprendre à les connaître est d'en faire la collection ; un passe-temps que l'on peut pratiquer à peu près partout. Mais par où commencer lorsque l'on débute ? Les livres sur le sujet constituent les premières sources d'information. Beaucoup de musées proposent des expositions minérales et les associations locales de minéralogistes amateurs peuvent être d'un grand secours. Un voyage ou des vacances sont d'excellentes occasions de ramasser des roches diverses et de découvrir de nouveaux types de paysages. Vous trouverez ici quelques suggestions de lieux à visiter, ainsi qu'une liste de sites Internet qui compléteront votre information.

LA RECHERCHE D'INFORMATION

Dans les musées nationaux et locaux, vous pourrez voir des roches et des minéraux communs et de plus rares et apprendrez beaucoup sur leur origine. Les galeries de minéralogie et de géologie du Muséum national d'histoire naturelle de Paris renferment des collections de plusieurs centaines de milliers de spécimens et proposent une information abondante.

Atelier d'identifaître des roches et minéraux, au musée d'Histoire naturelle de Londres, Angleterre

L'IDENTIFICATION DES SPÉCIMENS

Vous pouvez vous servir d'un bon livre-guide sur les roches et les minéraux pour identifier vos échantillons. Mais le mieux, lorsque l'on débute, est de prendre contact avec des personnes chevronnées qui pourront vous aider et vous guider. Il existe, en France, de nombreuses associations locales de géologues et de minéralogistes amateurs. Le Muséum national d'histoire naturelle de Paris tient à jour, sur son site Internet, une liste complète de ces clubs et associations (voir encadré *Quelques sites Internet*, page ci-contre).

METTEZ VOTRE COLLECTION EN VALEUR

Nettoyez à l'eau vos échantillons de roches et laissez-les sécher, puis disposez-les dans des boîtes d'allumettes vides ou autres petites boîtes en carton. Pour les spécimens fragiles, garnissez les boîtes de papier de soie. Placez au fond de chaque boîte une petite étiquette comportant le nom de l'échantillon, de l'endroit où vous l'avez trouvé et la date de sa découverte. Groupez les boîtes sur des plateaux ou dans des tiroirs, en les classant par couleur ou d'après leur lieu de découverte.

Boîte en carton garnie de papier de soie

Étiquette d'échantillon

QUELQUES SITES INTERNET

• Société géologique de France :
home.worldnet.fr/~sgfr/homepage.shtml
• Muséum national d'histoire naturelle : offre une liste mise à jour
des associations géologiques régionales de France par département :
www.mnhn.fr/ppf/pgn/ASSama.html
• Comité français d'histoire de la Géologie :
www.cri.ensmp.fr/cofrhigeo/fr.htm
• Fédération française amateur de minéralogie et paléontologie :
www.multimania.com/ffamp/, proposant notamment une page
sur la déontologie du collectionneur de roches et minéraux.

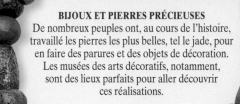

BIJOUX ET PIERRES PRÉCIEUSES
De nombreux peuples ont, au cours de l'histoire,
travaillé les pierres les plus belles, tel le jade, pour
en faire des parures et des objets de décoration.
Les musées des arts décoratifs, notamment,
sont des lieux parfaits pour aller découvrir
ces réalisations.

Collier aztèque en jade

Le Grand Canyon, en Arizona, aux États-Unis

UNE HISTOIRE DU TEMPS
Le Grand Canyon, situé en Arizona,
aux États-Unis, a été creusé par
le fleuve Colorado, qui le traverse.
En taillant leur lit, des millions
d'années durant, à travers la roche,
les eaux du fleuve ont mis au jour les
différentes strates jusque-là enfouies
dans les profondeurs de la Terre.
Celles-ci apparaissent très nettement
sur les parois rocheuses. Composées
de calcaires, de grès et d'argiles, ainsi
que de roches métamorphiques qui
en sont issues, certaines renferment
des fossiles de diverses époques
géologiques. Descendre les pistes
abruptes qui mènent au fond du
canyon, c'est effectuer un voyage
dans le temps en remontant les
quelque deux milliards d'années de
l'histoire géologique de cette région.

PIERRE DE TAILLE
Les Grecs et les Romains de
l'Antiquité taillaient leurs plus belles
statues dans le marbre – une roche
carbonatée – parce qu'il offrait
un matériau idéal pour la sculpture.
Le marbre pur est blanc, lisse
et brillant une fois poli.

Pietà de marbre de la
cathédrale Saint-Patrick,
à New York

UN ESCALIER DE BASALTE
À la Chaussée des Géants d'Antrim, en Irlande du Nord, on peut voir
d'extraordinaires colonnes de roche hexagonales pouvant atteindre 2 m
de haut, serrées les unes contre les autres. Selon la légende, des géants
les auraient assemblées pour construire un passage à travers la mer.
Pour les géologues, il s'agit d'orgues basaltiques formées par de la
lave qui, en refroidissant, s'est contractée régulièrement,
créant des colonnes aux formes géométriques.

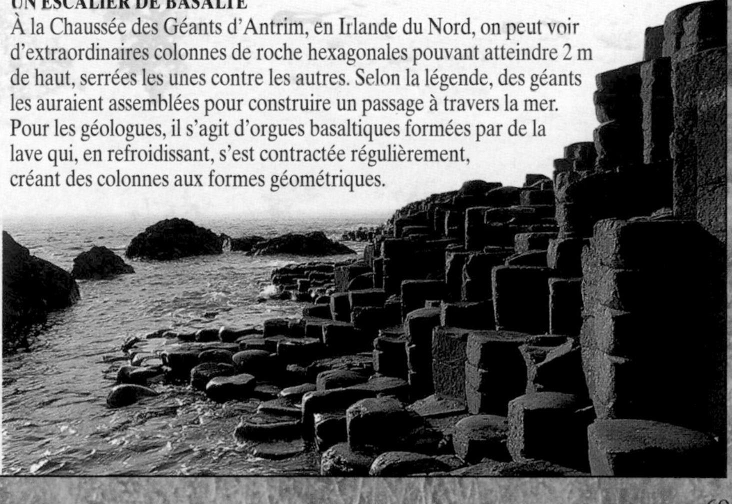

DANS LES GROTTES CALCAIRES
Les grottes des terrains karstiques (calcaires) sont les lieux où
on peut voir stalactites et stalagmites et des eaux cristallines bleu
turquoise. On en trouve dans plusieurs îles de la Méditerranée,
comme à Céphalonie, en Grèce. La France compte également
de nombreuses grottes de ce type, comme le gouffre de Padirac
ou la grotte de Lascaux, ornée de fresques préhistoriques.

Grotte à Melissani
(ci-dessus),
Céphalonie,
en Grèce

69

GLOSSAIRE

ABRASION Érosion provoquée par de l'eau, du vent ou de la glace chargés de sédiments qui grattent ou frottent contre la surface de la roche.

ACICULAIRE Qualifie un minéral composé de cristaux en forme d'aiguilles.

AFFLEUREMENT Zone où une roche donnée constituant le sous-sol apparaît à la surface de la Terre.

ALLIAGE Matériau métallique constitué d'un mélange de deux types de métaux différents, comme le laiton, le bronze ou l'acier.

AVEN Trou dans le sol, notamment dans les régions karstiques, où un cours d'eau de surface disparaît pour s'écouler sous terre.

BOMBE VOLCANIQUE Masse de lave projetée hors d'un volcan et qui se solidifie avant de retomber au sol.

CABOCHON Type de taille de pierre précieuse en forme de dôme à surface lisse, dépourvu de facettes.

CARAT Mesure de poids standard des pierres précieuses. Un carat métrique équivaut à 0,2 g. Le terme sert également à exprimer la pureté de l'or. L'or pur fait 24 carats.

CHEMINÉE Conduit au centre d'un volcan emprunté par la lave lors d'une éruption.

CLIVAGE Façon dont un cristal se sépare suivant certains plans définis, liés à la structure atomique du minéral.

Assemblage de cristaux naturels

CRISTAL Solide se formant naturellement, doté d'une structure atomique régulière, qui se traduit extérieurement par des faces lisses dont la géométrie est similaire à celle des atomes.

CRISTALLISER Former des cristaux, de façon naturelle ou provoquée par l'homme.

CRISTAUX À TRÉMIES Cristaux présentant des cavités régulières dans chaque face.

CROÛTE TERRESTRE Fine couche externe de la planète Terre. Son épaisseur varie de 7 à 70 km.

DÉBRIS Fragments de matériau rocheux brisés et disséminés dus à l'érosion.

Sol usé par l'érosion

DENDRITIQUE Présentant une forme ramifiée.

DÉPÔT Accumulation graduelle de sédiments, formant le plus souvent des strates.

ÉCHELLE DE MOHS Échelle empirique établie au XIXe siècle par le minéralogiste autrichien Friedrich Mohs, pour mesurer la dureté des minéraux d'après leur faculté à rayer et à être rayés par d'autres minéraux.

ÉCLAT L'éclat d'une pierre précieuse est lié à la façon dont est réfractée, dispersée et réfléchie la lumière qui la frappe. Le plus vif est l'éclat adamantin (celui du diamant). On décrit aussi les éclats métallique, vitreux, cireux, résineux, perlé, etc.

ÉLÉMENT L'une des substances de base dont est composée toute matière dans l'Univers. Un élément ne peut être dissocié en substances plus simples parce qu'il est composé d'un seul type d'atome.

ÉLÉMENT NATIF Élément apparaissant naturellement à l'état libre, ne faisant pas partie d'un composé (ex. : soufre, or).

ÉROSION Lente dégradation des roches par des agents liés notamment au climat. On distingue deux types d'érosions aux effets combinés. L'érosion mécanique est un processus lié au mouvement : le vent, l'eau et la glace brisent et abrasent les roches. L'érosion chimique est liée à la présence d'eau qui, en s'infiltrant, dissout certains composés présents dans les roches et les dissocie.

Fossile d'ammonite

Diamant

Padparadscha

ÉVAPORITE Minéral ou roche dont la formation est consécutive à l'évaporation d'eau salée ou d'eau de source très minéralisée.

FACE Surface d'un cristal.

FACETTE Face d'une pierre précieuse taillée.

FACIÈS Forme, taille et apparence générale d'un cristal, d'un groupe de cristaux ou d'une roche.

FILON MINÉRAL Fissure dans la roche dans laquelle des minéraux initialement dissous dans des fluides souvent chauds se sont déposés.

FOLIATION Structure feuilletée provoquée par l'alignement des cristaux dans les roches métamorphiques.

FOSSILE Vestiges ou traces de plantes ou d'animaux disparus qui ont été préservés dans la croûte terrestre. On peut en trouver dans la roche, dans l'ambre, dans le permafrost ou dans les mares de goudrons naturelles. Même les empreintes de feuilles, de plumes ou de peau sont considérées comme des fossiles, ainsi que celles des pas.

FUSION État de ce qui est fondu, rendu liquide sous l'effet de la chaleur. Le terme s'applique notamment aux roches issues du volcanisme.

GALVANISATION Procédé par lequel on ajoute du zinc à d'autres métaux ou alliages pour les empêcher de s'oxyder (rouiller).

GEMME Synonyme de pierre précieuse. Minéral apparaissant naturellement dans la croûte terrestre, généralement sous forme de cristaux, très prisé pour sa beauté, sa rareté et sa dureté.

GÉOLOGUE Scientifique qui étudie les roches et les minéraux, la structure de la croûte terrestre et sa formation.

IRIDESCENCE Reflet aux couleurs de l'arc-en-ciel à la surface d'un minéral, similaire à celui produit par un film de pétrole à la surface de l'eau.

KARST Type de relief accidenté de certains plateaux calcaires, érodés tant en surface qu'en profondeur par l'eau. Les karsts produisent les grottes à stalactites et stalagmites.

LAPIDAIRE Professionnel de la taille des pierres précieuses.

LAVE Roche chaude, fondue et issue du magma qui constitue le manteau terrestre, qui jaillit d'un volcan ou d'autres passages dans la croûte terrestre lors d'une éruption.

MAGMA Roche ductile formant le manteau terrestre.

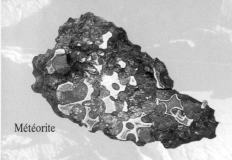

Météorite

MANTEAU Couche composée de roches ductiles située dans la Terre entre la croûte et le noyau. Son épaisseur est d'environ 2 300 km.

MASSIF Qualifie un minéral sans forme définie.

MATRICE Masse de roche dans laquelle sont enchâssés des cristaux.

MÉTAMORPHIQUE Qualifie une roche qui a subi une métamorphose, c'est-à-dire un changement de structure et de composition, généralement provoqué par l'action de la chaleur et/ou de la pression.

MÉTÉORITE Objet rocheux venu de l'espace ayant survécu à la traversée de l'atmosphère terrestre et tombé à la surface de la planète.

MINERAI Roche ou minéral dont on peut extraire un métal.

MINÉRAL Solide non organique apparaissant naturellement dans les roches, possédant des caractéristiques définies notamment en ce qui concerne sa structure et sa composition.

NODULE Masse arrondie d'un minéral trouvé dans des roches sédimentaires.

NOYAU Cœur composé de fer et de nickel formant le centre de la Terre. Il mesure environ 1 370 km de diamètre.

OOLITHES Petits grains arrondis qui composent certaines roches sédimentaires.

OPAQUE Matériau ne laissant pas passer la lumière.

PALÉONTOLOGUE Scientifique qui étudie les fossiles.

PIGMENT Colorant naturel utilisé dans les peintures et teintures. Beaucoup de pigments étaient jadis fabriqués en écrasant des roches colorées et en mélangeant la poudre obtenue à des graisses animales.

POIDS SPÉCIFIQUE Propriété des minéraux liée à leur composition chimique et leur structure cristalline, définie par comparaison du poids d'un minéral donné à celui d'un volume d'eau équivalent.

Azurite, jadis broyée pour fabriquer un pigment recherché

POREUX Qualifie un matériau capable d'absorber l'eau, l'air ou d'autres fluides.

PORPHYRE Roche ignée contenant d'assez gros cristaux dans une matrice plus fine.

PRÉCIPITATION Processus chimique au cours duquel une substance solide, telle que du calcaire, se dépose dans une solution, telle que de l'eau riche en calcaire dissous.

Stalactites pendant au plafond d'une grotte

PROPRIÉTÉS OPTIQUES Ensemble des effets optiques produits lorsque la lumière traverse un minéral. On s'en sert pour caractériser et identifier les minéraux.

PYROCLASTITE OU ROCHE PYROCLASTIQUE Nom donné à tous les fragments de roches, cendres, pierres ponces et laves solides, issus de l'éruption d'un volcan. Pyroclastique signifie « brisé par le feu ».

RÉSINE Substance collante constituant la sève de certaines plantes.

ROCHE Agrégat de particules minérales.

ROCHE EXTRUSIVE Roche formée lorsque du magma sort des profondeurs de la Terre sous forme de lave et refroidit en atteignant la surface.

ROCHE INTRUSIVE Roche ignée qui s'est solidifiée dans la croûte terrestre et qui n'apparaît à la surface que lorsque les roches qui les recouvraient ont été érodées.

ROULAGE Procédé de polissage au cours duquel des pièces minérales aux arêtes vives sont roulées dans un tambour avec du sable et de l'eau pour leur donner l'aspect de galets arrondis et polis.

SÉDIMENT Matériau formé par dépôt de particules rocheuses résultant de l'érosion dont la taille peut varier du rocher au limon, ainsi que de fragments de coquilles et autres matériaux organiques.

STALACTITE Concrétion pendante en forme de pointe irrégulière qui se forme au plafond des grottes lorsque le calcaire contenu dans l'eau qui dégoutte précipite. Sur de longs laps de temps, la taille des stalactites augmente, pouvant atteindre plusieurs mètres.

STALAGMITE Concrétion montante en forme de pointe irrégulière qui se forme sur le plancher des grottes à l'endroit où tombe de façon répétée l'eau de dégouttement venant du plafond ou de l'extrémité des stalactites, en créant lentement un dépôt calcaire.

STRIES Lignes, sillons ou rayures qui se développent sur une face d'un cristal à mesure que celui-ci grandit.

TRACE Couleur produite lorsqu'un minéral est réduit en poudre. La couleur de la trace, moins variable que celle du minéral entier, contribue à son identification de façon souvent plus sûre.

Veines de calcite

TRANSLUCIDE Qualifie un minéral qui laisse passer la lumière mais sans permettre de distinguer nettement les objets situés derrière.

TRANSPARENT Qualifie un minéral qui laisse passer la lumière en laissant voir nettement les objets situés derrière.

VACUOLE Bulle de gaz ou cavité dans la lave formant un trou une fois la lave refroidie et solidifiée. Les roches volcaniques criblées de vacuoles sont dites vacuolaires.

VEINE Fine couche ou dépôt d'un minéral ou d'un minerai remplissant une fissure entre des portions plus épaisses de roches ou minéraux différents.

INDEX

NOTES

Dorling Kindersley tient à remercier le docteur Wendy Kirk du Collège de l'Université de Londres ; l'équipe du Département d'Histoire Naturelle du British Museum ; Gavin Morgan, Nick Merryman et Christine Jones au Musée de Londres pour leurs conseils et l'inestimable contribution qu'ils ont apportée en fournissant de nombreux spécimens ; la société Redland Brick, et Jacobson Hirsch pour le prêt de matériel ; Anne-Marie Bulat pour son travail ; David Nixon pour la mise en pages ; Tim Hammond pour le secrétariat d'édition ; Fred et Mike Pilley de Radius Graphics, et Ray Owen et Nick Madren pour la réalisation artistique.

Illustrations : Andrew Macdonald 6m, b, 14mg, 18bg, 22mg, 28md, 30md

ICONOGRAPHIE

h = haut, b = bas, m = milieu,
g = gauche, d = droite

Didier Barrault/Robert Harding Picture Library 37md ; Bridgeman Art Library/Bonhams London 55md ; Paul Brierley 49b, 51m ; British Museum (Natural History) 42m, 43 ; N.A. Callow/Robert Harding Picture Lbrary 13m ; G. and P. Corrigan/Robert Harding Picture Library 23h ; Diamond Information Centre 60m ; C. M. Dixon/Photoresources 11b, 14h, 15h, 19b, 32h, Earth Satellite Corporation/Science Photo Library 7h ; Mary Evans Picture Library 6h, 8, 9m, 12b, 15b, 16hg, 19h, 25, 26b, 28b, 30bg, 31b ; 32h, 34h, mg, 36h, 37h, bg, 39b, 40h, 41h, 44hd, 50hd, bd, 56md, 57m, 58hg, hd, 59hg, b, 62h, m ; Clive Friend/Woodmansterne Ltd 15m, 36b ; Jon Gardey/Robert Harding Picture Library 40b ; Geoscience Features 18h ; Mike Gray/University College London 17, 20hd, 24hd ; Ian Griffiths /Robert Harding Picture Library 13h ; Robert Harding Picture Library 13m, 18bd, 21, 22bg, 23m, 27h, b 35h, b, 56h, 59m ; Brian Hawkes/Robert Harding Picture Library 12m ; Michael Holford 50hg, bg, 51h, 54h, md, 55h, mg ; Glenn I. Huss 40 ; The Hutchinson Library 35m, 51b, 56mg ; Yoram/Robert Harding Picture Library 37mg ; Kenneth Lucas/Planet Earth 39h ; Johnson Matthey 58bg ; Museum of London 28, 32, 61hg, bd ; NASA 41bd ; NASA/Robert Harding Picture Library 6-7, 7b ; NASA/Spectrum Colour Library 11b ; National Coal Board 37md ; Walter Rawlings/Robert Harding Picture Library 26m, 33b ; John G. Ross/Robert Harding Picture Library 53 ; K. Scholz/ZEFA 10b ; Nicholas Servian/Woodmansterne 34md ; A. Sorrell/Museum of London 29h ; Spectrum Colour Library 10m ; R. F. Symes 9hd ; A. C. Waltham/Robert Harding Picture Library 22bd ; Werner Forman Archive 29b, 30bd, 31hg, mg, 52h, b, 55b, 61m ; G. M. Wilkins/Robert Harding Picture Library 47 ; Woodmansterne 58bd ; ZEFA 16hd ; Zeiss 41bg ; Reproduced with the permission of the Controller of Her Majesty's Stationery Office, Crown copyriht 54mg

pp. 64 à 71 : D. R.
Couverture : © Dorling Kindersley Ltd, sauf 1er plat centre : © Gallimard-Jeunesse

Nous sommes efforcés de retrouver les propriétaires des copyrights. Nous nous excusons pour tout oubli involontaire. Nous effectuerons toute modification éventuelle dans nos prochaines éditions.